W9-BSW-847

Los conquistadores
Una breve introducción

Matthew Restall y Felipe Fernández-Armesto

Los conquistadores

Una breve introducción

Título original: *The Conquistadors. A Very Short Introduction*
Traducción de Javier Alonso López

Publicada originalmente en inglés en 2012. Esta traducción se ha realizado por acuerdo con Oxford University Press

Primera edición: 2013
Primera reimpresión: 2018

Diseño de colección: Estudio de Manuel Estrada con la colaboración de Roberto Turégano y Lynda Bozarth
Diseño de cubierta: Manuel Estrada
Ilustración de cubierta: Morrión de acero (h. 1575-1600)
© Index - Bridgeman
Selección de imagen: Carlos Caranci Sáez

Calle Juan Ignacio Luca de Tena, 15
28027 Madrid
www.alianzaeditorial.es

ISBN: 978-84-206-7543-5
Depósito legal: M. 7.891-2013
Printed in Spain

Si quiere recibir información periódica sobre las novedades de Alianza Editorial, envíe un correo electrónico a la dirección: alianzaeditorial@anaya.es

Índice

9 Prefacio

11 Agradecimientos

13 1. Muchas y grandes penalidades
44 2. Muchas victorias, grandes conquistas
69 3. Dar cuenta acerca de quién soy
109 4. Por un milagro de Dios
147 5. Un atajo a la tumba

167 Lecturas adicionales

175 Lista de ilustraciones

177 Índice analítico

Prefacio

Las conquistas forjan culturas. Proyectan ideas, idiomas, religiones, productos, alimentos, enfermedades, comportamientos y modos de vida y de pensamiento más allá de las fronteras y entre diferentes entornos. Forjan nuevos estados y crean los escenarios de intercambios que denominamos imperios. Por lo general, las conquistas son deplorables, violentas, perjudiciales, explotadoras, subversivas, destructivas, pero también pueden ser creadoras y transformadoras. Se encuentran entre los procesos históricos más influyentes, más impactantes. Cómo y por qué ocurren son algunos de los problemas más complicados e intrigantes de la Historia. Los acontecimientos que durante el siglo xvi convirtieron a la monarquía española en un vasto imperio transoceánico de tierra y mar –el único imperio de estas dimensiones y naturaleza hasta el día de hoy– son ejemplares, incluso paradigmáticos, para los historiadores que estudian las conquistas.

Otros conquistadores europeos en un mundo mayor intentaron emular e imitar a los conquistadores. Los estudiosos de la formación de los imperios han contemplado los esfuerzos españoles, especialmente en México y el mundo andino, como modelos para describir y explicar las consecuencias que tienen los encuentros entre invasores y pueblos indígenas por todo el mundo. Este libro pretende explicar quiénes fueron los conquistadores, qué hicieron, cómo lo hicieron, y cómo pensaban, sentían y se comportaban. Debería resultar patente, para aquellos lectores que continúen con la lectura, que la mayoría de las fuentes ofrecen una imagen falsa de los conquistadores, pues confunden la naturaleza de sus logros y equivocan al mundo.

Nos concentraremos en el periodo que va desde el primer viaje transatlántico de Cristóbal Colón en 1492 hasta la extinción del reino inca en Vilcabamba en 1572. Los conquistadores fueron principalmente españoles, hombres de los reinos ibéricos (en especial de Castilla) que acabarían conformando España. Hubo algunas mujeres que se vieron involucradas de formas que llaman la atención, y también tomaron parte en la conquista africanos negros, tanto esclavos como hombres libres; a los que combatieron junto a los invasores europeos los denominaremos «conquistadores negros». Ellos ayudaron a hacer posibles los asentamientos españoles permanentes en las Américas y, en casos excepcionales, fundaron sus propios reinos. Todavía más influyentes y eficaces en la creación del imperio español fueron los indígenas americanos que cooperaron con los invasores; a los que lucharon como aliados de estos los llamaremos «conquistadores indígenas» o «conquistadores nativos».

Agradecimientos

Damos las gracias a Susan Ferber, de Oxford University Press, por la oportunidad de escribir este libro y por sus muchas contribuciones editoriales. Matthew Restall agradece especialmente a Felipe Fernández-Armesto su buena disposición para colaborar en el proyecto; fue Felipe quien introdujo a Matthew, siendo este un estudiante universitario en Oxford, en el tema de los conquistadores, de manera que esta colaboración tiene un significado especial para él. Felipe, a su vez, querría dar voz a sus sentimientos: resulta emocionante para un profesor ver cómo un querido estudiante se convierte en un colega admirado.

Damos también las gracias a los lectores externos que ofrecieron útiles comentarios a los primeros borradores. Finalmente, a los participantes del seminario «Los conquistadores» dirigido por Matthew Restall para sus estudiantes universitarios en la Universidad Penn State, por sus muchas contribuciones para el desarrollo de este libro, tanto sobre el papel como durante las clases; en particular a Andrew Barsom, Nicholas Borsuk, Matthew Bullington, Ayren Erickson, Taner Gokce, Lisa Hutton, Alison Hunt, Ryan Miller, Heather Parks, Blaire Patrick y Hannah Tracy.

1. Muchas y grandes penalidades

> Hasta llegar a este reino se pasaron grandísimos trabajos –escribía Diego Romero, un veterano conquistador–, ansí rompiendo caminos nuevos por la montaña y sierra como de muchas hambres y enfermedades, y venían desnudos y descalzos y cargados con sus armas que fue causa que muriesen muy gran cantidad de españoles.

La expedición que describió Romero fue la invasión en 1536-1539 de las tierras indígenas que se convertirían más tarde en el corazón de Colombia. Sabemos muy poco acerca de Romero, pero bastante más sobre el líder de la expedición, Gonzalo Jiménez de Quesada. Nuestras preguntas iniciales serán, por tanto, hasta qué punto eran típicas las quejas como las de Romero y qué tipo de hombre era Jiménez de Quesada.

¿Fue Jiménez de Quesada cruel y expoliador? ¿Fue un ladrón y un asesino? ¿Podríamos considerarlo un soció-

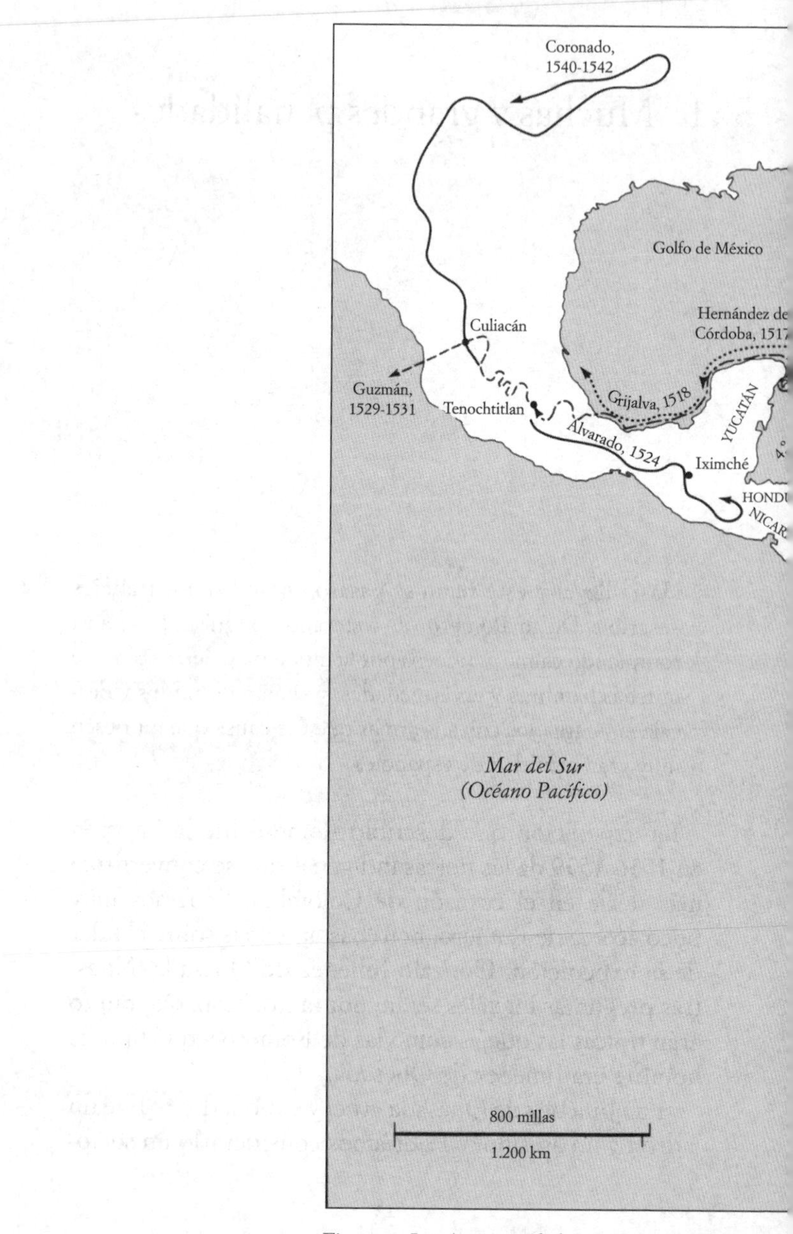

Figura 1. Las Américas de los conquistadores.

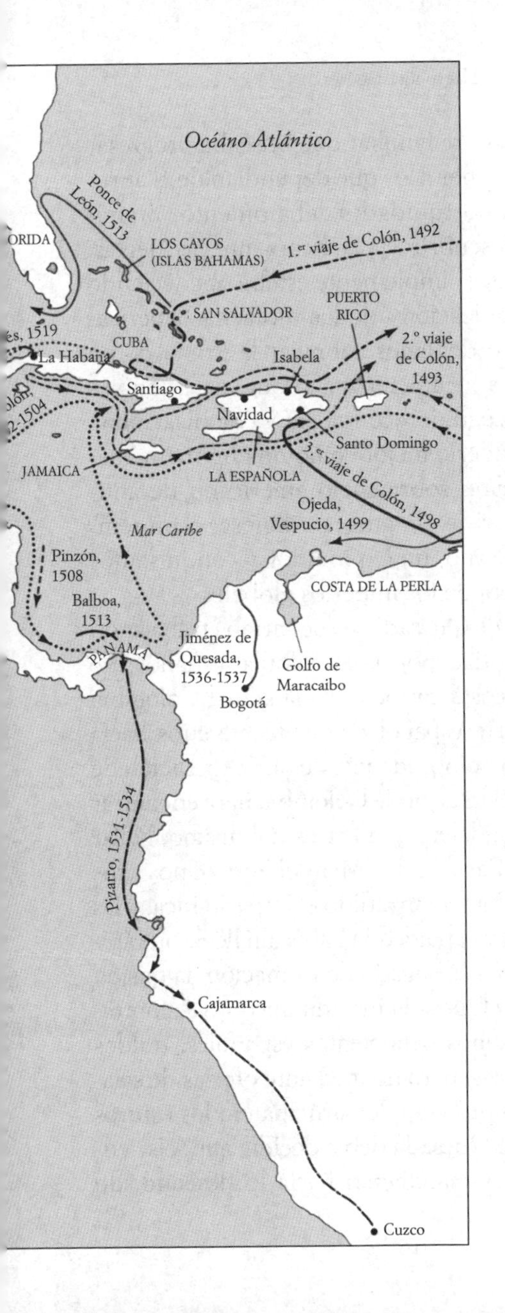
Océano Atlántico
Ponce de León, 1513
ORIDA
LOS CAYOS
(ISLAS BAHAMAS)
1.er viaje de Colón, 1492
SAN SALVADOR
PUERTO RICO
és, 1519
CUBA
La Habana
Isabela
2.º viaje de Colón, 1493
Santiago
Navidad
Santo Domingo
JAMAICA
LA ESPAÑOLA
3.er viaje de Colón, 1498
Ojeda, Vespucio, 1499
Mar Caribe
Pinzón, 1508
COSTA DE LA PERLA
Balboa, 1513
PANAMÁ
Jiménez de Quesada, 1536-1537
Golfo de Maracaibo
Bogotá
Pizarro, 1531-1534
Cajamarca
Cuzco

pata? ¿O fue un hombre familiar que buscaba progresar y una forma de mantener a los que dependían de él aprovechándose de las oportunidades del momento? Su misión oficial era «descubrir y pacificar» nuevas tierras. ¿Podemos admitir que simplemente estaba obedeciendo órdenes en su «pacificación» de los indígenas americanos que encontró, o debemos subrayar la ironía de un término utilizado para caracterizar lo que los españoles denominaron acto seguido «conquista y colonización»? ¿Podemos comprenderlo mejor como una figura medieval, una manifestación sobre suelo americano de antiguas tradiciones ibéricas de guerra religiosa, o un temprano hombre moderno, un explorador y conquistador en la génesis de la era de los imperios globales?

En 1536, Jiménez de Quesada se encontraba trabajando duramente en la ciudad portuaria colonial española de Santa Marta, en la costa caribeña de la actual Colombia (véase Figura 1). Este español de veintisiete años hacía poco que había sido nombrado jefe de una expedición de descubrimiento en el interior de Colombia para encontrar la fuente del río Magdalena y, a través del mismo, hallar una ruta a Perú y el Pacífico, el «Mar del Sur». Unos años antes, los españoles habían invadido el imperio inca, y las noticias sobre el oro y la plata que había allí llegaron rápidamente hasta España. Abogado de formación, la misión inicial de Jiménez de Quesada fue administrativa: contratar los servicios de unos ochocientos españoles, traídos desde las islas Canarias, pero no mediante ofertas de salario, sino por la mera promesa de participar en los futuros expolios. Jiménez de Quesada debía decidir qué seiscientos de estos hombres marcharían hacia lo desconocido por tierra, y qué doscientos navegarían remontando la corriente del río Magdalena; tuvo que organizar a cientos de esclavos africanos y a miles de esclavos y sirvientes indígenas americanos para transportar el equipo, forrajear y cocinar, espiar y traducir, además de –caso de ser necesario– combatir por los españoles.

La expedición tardó un año en alcanzar las altas planicies y valles del interior de Colombia. Sólo una cuarta parte de los españoles –el propio Jiménez de Quesada y otros 196 expedicionarios– sobrevivió al viaje. El resto murió de malnutrición y de hambre, de infecciones y de enfermedades, las penalidades descritas por Diego Romero. No se conoce la tasa de mortalidad entre los esclavos y auxiliares africanos e indígenas.

Los supervivientes emergieron en un mundo diferente. Durante los dos años siguientes vivieron entre los muisca, el pueblo que habitaba los valles del altiplano. Muy pocos de los españoles supervivientes murieron, y ninguno de ellos en encuentros de carácter bélico. Los muisca no estaban políticamente centralizados (no existía un imperio muisca como el de los aztecas en México o el de los incas en Perú), de manera que Jiménez de Quesada fue capaz de provocar el enfrentamiento de unos jefes muisca contra otros y establecer así un cierto espacio en el que pudieran vivir los invasores. Los indígenas locales mantuvieron a los españoles, quienes, mientras tanto, reunieron unos doscientos mil pesos de oro puro y cerca de dos mil esmeraldas. Por último, Jiménez de Quesada fundó tres municipios, llamados Santa Fe (actual Bogotá), Tunja y Vélez.

Durante aquellos dos años, en los que no tuvo contacto alguno con el mundo exterior, Jiménez de Quesada actuó como un señor de la guerra independiente. Fue un diplomático que forjaba y rompía alianzas, se mostraba más astuto que sus rivales e intimidaba a sus subordinados. Fue un jefe militar que organizaba incursiones, defendía el territorio y capturaba y daba tormento a los jefes enemigos. Fue un administrador que incautaba el botín y lo repartía, que dirigía a los colonizadores multirraciales de los que era responsable, que promulgaba leyes, fundaba ciudades y dejaba constancia por escrito de sus acciones. De hecho, se convirtió en rey de la Colombia del altiplano en todo, salvo en el nombre. Pero su intención nunca fue gobernar un reino independiente. Siempre consciente de que su licencia se le había concedido para explorar y descubrir, no para conquistar y establecerse, dio fe pública de sus actos con la esperanza de que el rey Carlos de España reconociese sus sacrificios personales y recompensase su lealtad con la concesión de un gobierno. Su meta personal no era llevar una vida de exploración y conquista, ni dirigir su propio ejército o gobernar su propio feudo; su objetivo era administrar una provincia pacificada del imperio, como un hombre de fortuna y alta condición, un rector y juez de hombres. La suya era la gran ambición de un abogado del siglo xvi.

Jiménez de Quesada fue, en resumen, un conquistador.

Creadores de mitos

Gonzalo Jiménez de Quesada no es tan famoso como Hernán Cortés o Francisco Pizarro, ni tampoco los muisca son tan conocidos como los aztecas o los incas.

Jiménez de Quesada no escribió ingeniosas cartas al rey, como hizo Cortés, ni la pluma de ninguno de sus hombres escribió un conmovedor relato de la expedición que rivalizase con la narración de Bernal Díaz del Castillo sobre la invasión de México. Incluso durante su propia vida, Jiménez de Quesada lamentó amargamente haber adquirido más riquezas para la Corona que Cortés y Pizarro, «no habiendo ellos descubierto ni poblado mejores provincias ni más ricas que yo aunque puede ser que mayores». Sentía que no había recibido su justa recompensa ni en términos de reputación ni de posición oficial. Cuando otras dos expediciones españolas llegaron a territorio muisca en 1539, Jiménez de Quesada viajó a España para presentar su causa a fin de obtener el gobierno de la zona. Sin embargo, después de años de litigios, y basándose en tecnicismos legales, le fue concedido al gobernador de Santa Marta (véase Figura 2).

No a pesar de su relativa poca fama, sino precisamente a causa de ella, Jiménez de Quesada resulta un mejor candidato para presentar esta obra. Aunque en las siguientes páginas aparecerán las tantas veces contadas hazañas de Cortés y Pizarro, nuestro libro trata, más bien, de hombres como Jiménez de Quesada, un hombre de clase media, de posición más elevada que la inmensa mayoría de los españoles, pero no un noble. Sabía leer y era culto, aunque no era un hombre de letras. Buscó su oportunidad en el Nuevo Mundo en un momento en el que los sueños de éxito al otro lado del océano eran muy corrientes para cualquiera que pudiera permitirse el viaje. Estaba cerca de los treinta años durante la principal expedición de su vida, una edad perfecta para este

Figura 2. Retrato de Gonzalo Jiménez de Quesada. Este grabado de 1886 del conquistador de Colombia está basado en retratos del periodo colonial. Los rasgos faciales y la barba fina encajan con las descripciones de su persona procedentes del siglo xvi; la pose de medio cuerpo y girado tres cuartos, con el brazo sobre un pretil, es característica de los primeros retratos de la Edad Moderna; la armadura y el casco aluden a su condición militar. A pesar de su riqueza y su elevado rango social como veterano conquistador, tal como refleja su imagen, Jiménez de Quesada vivió amargado por no haberle sido concedido el gobierno de la provincia.

tipo de experiencias. Tuvo la fortuna de sobrevivir mientras veía cómo la mayoría de los hombres a los que dirigía moría a causa de las enfermedades, el hambre o las heridas de guerra, no sólo los seiscientos que perecieron entre 1536 y 1537, sino los casi quinientos españoles, cientos de africanos y mil quinientos indígenas que no sobrevivieron a su expedición de 1569-1572 por Colombia occidental.

El mayor logro de Jiménez de Quesada, el hallazgo de los muisca y su territorio, no fue seguido por un nombramiento como gobernador de la región por parte de la Corona, sino por una docena de años de litigios y frustración política en España. También en este punto fue típica su experiencia. La Corona controlaba a los conquistadores envolviéndolos en la burocracia legal. Jiménez de Quesada pasó el resto de su vida solicitando fondos y recompensas, y quejándose por la injusta ausencia de ambas cosas. El tono de estas protestas está marcado por lo que los conquistadores escribieron acerca de sus hazañas, de manera que deben ser tomadas con mucha cautela. No obstante, hubo algunos conquistadores, entre ellos el propio Jiménez de Quesada, que parecieron interiorizar más que otros el mal hecho por su formación cultural. Más tarde, liberado de la frustración, buscó repetir los triunfos pretéritos con una nueva expedición, destinada a fracasar de manera lamentable y que le hizo morir lleno de deudas, un hecho que tuvo lugar en 1579 cuando contaba sesenta años.

Pero la historia de los conquistadores españoles no la iban a escribir ni trataría de personas como Jiménez de Quesada. De hecho, tal como él reconoció groseramente, el núcleo narrativo ya había sido compuesto y publicado en el momento en que él estaba recorriendo los salones de la corte española en la década de 1540.

Esta historia nace en los informes que los primeros conquistadores estaban obligados a remitir al rey de España. Los conquistadores no eran soldados del ejército real enviados al Nuevo Mundo por el monarca. Iban por propia iniciativa, reuniendo a inversores y compañías de hombres con un considerable esfuerzo individual y gran ingenuidad. Eran, en resumen, empresarios armados. En algunos casos, el propio rey era uno de los inversores en la empresa, pero, por lo general, el único apoyo regio que un conquistador llevaba consigo en su viaje a lo desconocido era un trozo de papel; el documento más importante de este tipo era una licencia para invadir y conquistar territorios, de manera que su portador se convertía en «adelantado», un título militar medieval, que literalmente significa «hombre que va por delante». Un adelantado que sobreviviera y tuviera éxito tenía una buena oportunidad de ser nombrado gobernador de una nueva provincia dentro de un reino americano español. No obstante, hasta los mismos adelantados estaban obligados a presentar una amplia serie de informes detallando sus actividades.

Todos los conquistadores debían entregar informes al rey –desde los famosos adelantados y otros capitanes hasta los más humildes conquistadores españoles, los indígenas americanos y los negros africanos–. Estos informes describían los servicios, méritos y sacrificios del autor, y se ofrecían a la corte como justificación para obtener el favor real bajo la forma de cargos, títulos y pensiones. Por eso, este género fue denominado «probanza de mérito» o prueba de mérito.

El propósito de la probanza determinó su estilo y su tono, y la evolución de sus convenciones terminó abarcando casi toda la literatura de los conquistadores. Se subrayaban la acción y el logro individual a costa del proceso y el comportamiento colectivo, fomentando la idea de que las victorias llegaban gracias a las hazañas gloriosas de grandes hombres. El género ayudó también a avivar las llamas de los enfrentamientos entre facciones y las violentas rivalidades que caracterizaron la era de la conquista, pues cada autor de una probanza intentaba vender sus propios méritos ante el rey y rechazar o denigrar a los conquistadores rivales.

De igual manera, los papeles representados por los no españoles se fueron marginalizando de forma sistemática. Los negros africanos y los hombres de raza mixta, tanto esclavos como libres, combatieron en todas las compañías y representaron a menudo un papel clave. Los negros solían operar de manera independiente, llegando a forjar pequeños estados y reinos propios, a veces en colaboración con los indígenas, de la misma manera que hicieron los españoles a mayor escala; sus hazañas demuestran que no era necesario ser blanco ni tener recursos europeos para obtener poder en partes del Nuevo Mundo moderno. En la mayoría de las conquistas, los auxiliares indígenas superaron en número a los españoles y les precedieron en la batalla. Pero los escritos de los conquistadores apenas mencionan la existencia de los participantes no españoles, por no hablar de la trascendencia que tuvo su presencia.

Finalmente, los conquistadores siempre estaban ansiosos por mostrar que ellos no eran únicamente leales siervos del rey, sino también buenos cristianos. Ese concepto era particularmente significativo en la península Ibérica en los primeros decenios del siglo xvi, pues en ella habían coexistido durante muchos siglos las tres religiones –cristianismo, Islam y judaísmo–. Esa coexistencia siempre había sido una compleja mezcla de armonía y hostilidad, de paz y de violencia, pero el conflicto fue ganando cada vez más protagonismo, de manera que para la década de 1490 una serie de persecuciones llevaron al exilio o provocaron la conversión forzosa de los judíos, mientras que la presencia musulmana se vino abajo en 1492 bajo la espada de los reinos cristianos de Castilla y Aragón.

Durante el siglo xvi, el católico mundo español se enfrentó a dos nuevas amenazas: el protestantismo y las formas de paganismo que los exploradores, misioneros, comerciantes y guerreros españoles encontraron en un mundo más amplio. Así, no debe sorprender que los conquistadores se hiciesen rápidamente eco de argumentos que se habían originado en las narraciones de las conquistas elaboradas por propagandistas del clero y la corte: sus campañas en las Américas estaban guiadas y aprobadas por la divinidad. La Providencia había escogido a los castellanos para unificar la Península bajo el cristianismo, y a continuación extenderlo a los paganos del Nuevo Mundo. Los conquistadores tuvieron éxito «por milagro de Dios», como lo expresó Gaspar de Marquina, un conquistador del Perú. En una carta enviada a su padre, que estaba en España, aseguraba que se habían convertido cientos de miles de indígenas andinos, y que una minúscula compañía española había capturado al emperador inca Atahualpa sólo porque «Dios milagrosamente nos quiso dar victoria contra él y de su fuerza». La presencia, atestiguada con frecuencia, de la Virgen o del apóstol Santiago en los campos de batalla no restaba mérito a las reclamaciones que cada conquistador hacía de recompensas como premio a su valor; muy al contrario, demostraban el favor divino, un hecho obvio que seguramente no ignoraría el rey.

Igual que el providencialismo y las retóricas repeticiones de recompensa, un tercer conjunto de convenciones literarias distorsionaron los escritos de los conquistadores y, por lo tanto, de la tradición historiográfica. La mayoría de los escritores conquistadores compartían una formación como lectores del equivalente del siglo xvi a la actual ficción de libros de aeropuertos: las novelas de caballería, en las que el héroe, destinado a la grandeza, pero con la suerte adversa, emprende una vida de aventuras, combate a monstruos o gigantes o paganos y acaba conquistando una isla o gobernando un reino (y, en un fundido en negro habitual, se casa con una princesa). Estas historias inspiraron a los conquistadores, proporcionándoles tramas e imaginería para sus vidas y la forma en la que escribían sobre ellas.

La combinación de estas convenciones, unida a las peligrosas realidades de las operaciones en entornos hostiles, remotos y desconocidos, produjo paradojas dentro de la literatura de los conquistadores. Por una parte, las conquistas eran providenciales; por la otra, eran actos individuales. Por una parte, eran milagrosas; por la otra, se alcanzaban gracias al heroísmo de los conquistadores. Por una parte, cumplían con el destino colectivo triunfal de España al ampliar las fronteras de la fe; por la otra, eran la obra de colaboradores cuya lealtad apenas tenía en consideración a España, pues los mismos conceptos de «España» y «español» sólo se extendieron gradualmente durante el siglo XVI entre los dispares y conflictivos pueblos y naciones que componían la monarquía española.

Por otro lado, los españoles hallaron unas tierras inmensamente ricas, rebosantes de metales preciosos y con unos laboriosos indígenas que podían ser convertidos fácilmente en cristianos que pagasen tributo; los conquistadores que escribieron los primeros informes solían hacer este tipo de afirmaciones. Sin embargo, la extracción de estas riquezas y la pacificación de las poblaciones locales rara vez resultaron sencillas, y requirieron la ampliación de los créditos y de los abastecimientos, así como la promesa de mayores favores regios. Como resultado, a menudo los conquistadores proclamaban prematuramente sus victorias mientras solicitaban ayuda para completar una conquista que estaba todavía en su primera fase.

Además, los conquistadores subrayaban de forma interesada sus grandes hazañas y extraordinarios éxitos. Pregonaban sus triunfos no sólo ante el rey, sino también en cartas a familiares y patronos, así como en versiones publicadas de sus probanzas y cartas que podían permitirse publicar aquellos con mejores contactos. Pero por otro lado, sus relatos están repletos de lamentos, sufrimientos y sacrificios. La conquista era una actividad peligrosa y deprimente que dejaba a sus practicantes empobrecidos, doloridos y a expensas de la misericordia del rey.

Las características de las probanzas, dictadas y escritas en las Américas y enviadas al rey de España, desembocaron de inmediato en otros géneros literarios similares. Informes parecidos eran las «cartas», las «relaciones» o las «cartas de relación». Las líneas que separaban las cartas privadas, la correspondencia oficial y las cartas públicas compuestas para su publicación se difuminaron cada vez más. Los cargos oficiales redactaban una «carta» de Colón que sería entregada a las imprentas meses después de que el genovés hubiera regresado de su primera travesía atlántica. Las relaciones de Cortés al rey –que eran una probanza muy elaborada e inteligentemente construida– se vendieron tan bien en su forma publicada durante la vida del mismo Cortés que el rey se vio obligado a prohibirlas. Pedro de Alvarado vio cómo, mientras se encontraba todavía en Guatemala combatiendo desesperadamente contra los mayas, se publicaban en España sus cartas a Cortés, en las que promocionaba su conquista de esas tierras. Bernal Díaz escribió una serie de probanzas, todas ellas con escaso éxito, cada una más extensa que la anterior, hasta que su versión final se convirtió en un amplio informe de las conquistas españolas en México y Centroamérica, publicada tras su muerte en un libro de seiscientas páginas que sigue siendo ampliamente leído en la actualidad.

Para ese momento (la *Historia Verdadera* se publicó en 1632), las convenciones de la literatura de los conquistadores habían fraguado hasta convertirse en una narrativa convencional, sancionada oficialmente y perpetuada por sucesivos cronistas regios.

El puesto de «coronista» o cronista del rey se había creado en la década de 1450, convirtiéndose en un cargo de prestigio bajo Isabel y Fernando que llevó a la redacción durante los siglos xvii y xviii de interminables relatos sobre los triunfos españoles, en especial las proezas de los conquistadores. Paralelamente a las reivindicaciones «auténticas» de las cartas y los informes de los conquistadores, las crónicas proclamaban de forma paradójica su carácter de veracidad objetiva mientras insistían, al mismo tiempo, en que su perspectiva era la de un funcionario regio que glorificaba a la Corona. «El oficio que tengo es de decir verdades», afirmaba el cronista Tomás Tamayo de Vargas en 1639. Sólo se podía confiar en un cronista real para que escribiese «con la verdad y limpieza que se requiere», como señalaba Gonzalo Fernández de Oviedo, quien veía su oficio como el de un «evangelista» cuya misión era inmortalizar las glorias de los conquistadores y reyes españoles, un concepto arraigado probablemente en las presunciones providencialistas de personas como Cortés. Los cronistas reales perpetuaron mitos basados en las pretensiones de autoengrandecimiento de los conquistadores.

En el siglo xvii, los esfuerzos de los cronistas del rey para promover a los conquistadores mediante el papel tuvieron un paralelo en el mundo de la pintura. Se pusieron entonces de moda las representaciones pictóricas de conquistadores bajo diferentes formas y tamaños, siendo el «biombo» (véase Figura 3) la más destacada de ellas, pero sirviendo todas a proyectar la narrativa convencional de los conquistadores.

Hubo ocasiones en que Dios obraba directamente o a través de los santos, en particular de Santiago, representado popularmente sobre su caballo blanco enfrentándose a los musulmanes (moros) de la Península que aparecen aplastados bajo sus cascos. La afirmación de que se había visto al santo acudiendo al rescate de los españoles contra los aztecas en 1520, y de nuevo salvando a los conquistadores frente a los incas durante el asedio de Cuzco de 1537, se repitió hasta convertirse en parte de la gran narrativa de la conquista. En el siglo xvii, las pinturas de Cortés en batalla solían mostrarlo como un avatar de Santiago, tal como ilustra la Figura 3.

En otros momentos, en especial en las versiones que escribían o controlaban personalmente los conquistadores, Dios obraba por medio de sus agentes, los propios españoles. En sus cartas al rey, Cortés explicaba que aquella victoria había sido posible por una combinación de la Providencia divina y el coraje de los conquistadores: «Nos dio Dios tanta victoria», escribía, pero también que «matamos mucha gente». Los valientes españoles, señalaba, «al mayor temor osan, pelear tienen por gloria y vencer por costumbre». Francisco López de Gómara, capellán y biógrafo de Cortés en sus años crepusculares, exclamaba que eran los españoles «dignísimos de alabanza en todas las partes del mundo. ¡Bendito Dios –concluía– que les dio tal gracia y poder!».

El carácter circular de los argumentos de los conquistadores era irresistible: su triunfo demostraba que Dios estaba de su lado, y ellos triunfaban porque ésa era la voluntad de Dios; sus invasiones y conquistas en el Nuevo Mundo estaban justificadas por el apoyo divino, y los

Figura 3. Los caballos blancos de Hernán Cortés en una escena del biombo de la Conquista de México que se encuentra actualmente en el Museo Franz Meyer de Ciudad de México. Cortés y sus hombres son representados de forma anacrónica como soldados del siglo xvii , con el conquistador montado sobre un caballo encabritado, en una pose que pretende evocar a Santiago Matamoros (en la página opuesta, representado en un bajorrelieve de 1610 obra de Miguel Mauricio). El biombo (de la palabra japonesa *byobu),* un conjunto de entre 4 y 20 planchas plegables decoradas con pinturas, fue introducido en México por la embajada japonesa en 1614 y se convirtió a mediados del siglo xviii en un medio muy popular de inmortalizar las hazañas de los conquistadores.

españoles sabían que tenían ese apoyo porque eran capaces de derrotar a sus enemigos.

Precedentes

Antes de ocuparnos en mayor detalle de los conquistadores del siglo XVI, debemos responder a dos preguntas. ¿Qué ocurrió en las Américas que determinó lo que los europeos encontrarían allí? ¿Y qué habían estado haciendo los europeos antes de 1490 que los condujo a las Américas durante esa década?

Los pueblos mesoamericanos y los andinos solían asentarse en fértiles valles o en llanuras elevadas más que en áreas densamente arboladas. Construían aldeas, pueblos y algunas ciudades que eran mantenidas por una agricultura intensiva permanente. La compleja producción de alimentos y la concentración urbana de la población facilitaron la estratificación social y la especialización económica. Los exploradores y conquistadores españoles buscaron de manera deliberada estas sociedades sedentarias, pues, a corto plazo, no podrían vivir sin ellas, y a un plazo mayor, los densos asentamientos indígenas, la productividad agraria, unas jerarquías sociales bien definidas y unos sistemas eficaces de pago de impuestos harían posible la colonización española.

Los imperios azteca e inca surgieron aproximadamente al mismo tiempo. De acuerdo con las cronologías tradicionales, aunque inseguras, los mexica, una tribu de lengua náhuatl, tomaron el control del valle de México en 1428; éste fue el acontecimiento fundacional clave en la génesis del imperio azteca. Por el mismo tiempo, un príncipe quechua alcanzó el poder en 1438 y comenzó a convertir el reino inca en un imperio, el mayor que jamás se había visto en las Américas. Es probable que ambos procesos comenzaran más tarde de lo que afirma la tradición. Los dos imperios crecieron con enorme rapidez, y para el momento en el que Colón hizo su primer viaje transatlántico en 1492, dominaban México central y los Andes respectivamente.

La ideología imperial azteca estaba entretejida con ideas y creencias religiosas. Las sociedades mesoamericanas habían practicado la ejecución ritual de prisioneros de guerra y de otras víctimas cuidadosamente seleccionadas durante miles de años, pero parece que fue en el siglo XV cuando los aztecas llevaron los sacrificios humanos hasta un nuevo nivel, tanto en términos de significado como de cantidades. Huitzlopochtli, el dios patrono de la guerra de la capital imperial, era la divinidad a la que se le dedicaban los asesinatos de los prisioneros de guerra, a los que, por lo general, se les arrancaba el corazón y la cabeza, la cual era inmediatamente colocada en la empalizada de los cráneos de la plaza de Tenochtitlan, la espectacular capital azteca ubicada en una isla en el centro del lago Texcoco.

En menor medida, también otros pueblos nahuas (de lengua náhuatl en el centro de México) adoptaron esta costumbre de violencia ritual, como los tlaxcaltecas, por ejemplo, que siempre habían resistido al imperio azteca que rodeaba su ciudad y sus tierras; también ellos arrancaban los corazones de sus prisioneros de guerra. Tlaxcala permaneció independiente, pero su actividad quedó eclipsada en numerosos aspectos por la existencia de la hegemonía azteca en todo el centro de México, alimentando generaciones de resentimientos que resultarían cruciales para el devenir de la invasión española.

Desde 1502 y hasta su asesinato a manos de los invasores españoles en 1520, el azteca supremo, Moctezuma Xocoyotl, consolidó agresivamente su autoridad y amplió el imperio de sus antepasados. Mucho después de su muerte, tanto españoles como indígenas culparon injustamente a Moctezuma por la destrucción de su imperio. En realidad, la llegada de los españoles liberó una cadena de acontecimientos que estaban fuera del control de Moctezuma; durante los dieciocho años anteriores había sido un líder excepcionalmente afortunado, pues había aumentado la autoridad e influencia del imperio más que cualquiera de sus predecesores.

Aproximadamente en la misma época en la que se estaba forjando el imperio azteca, ocurría algo similar varios miles de kilómetros al sur. En 1438, mediante el tradicional ajuste de cuentas, Cusi Yupanqui, un príncipe segundón del reino inca, desbarató un intento del vecino reino chanca para anexionarse el corazón del territorio inca con base en Cuzco. Esta victoria lo impulsó a forzar a su padre al retiro y a apoderarse del trono –para expresarlo en términos incas, *maskapaycha* o 'corona de borlas'– que correspondía al heredero designado. Yupanqui también cambió su nombre por el de Pachacuti, que significa 'terremoto' o 'el que cambia el mundo'. Y cambió el mundo moldeando de nuevo el pasado, el presente y el futuro: el pasado fue el periodo de la preparación para la llegada de Pachacuti (incluso la amenaza chanca pudo haber sido elaborada por Pachacuti como pretexto para conseguir hacerse con el poder); el presente era el contexto para reorganizar el sistema político inca que legitimase el gobierno de Pachacuti y acomodase las necesidades administrativas del nuevo imperio, y el futuro fue concebido como una sucesión de campañas para llevar la civilización inca a todos los demás pueblos andinos.

Mientras que el imperio azteca abarcaba unos modestos 260.000 km^2, e incluía enclaves de ciudades-estado no conquistadas, el imperio inca cubría una vasta región continua que se extendía a lo largo de 4.000 kilómetros desde Ecuador hasta Chile, insertado entre la Amazonía y el Pacífico. A este imperio le damos el nombre de sus gobernantes (*Sapa Inca* era el título del emperador), pero fueron pueblos quechuas con sede en Cuzco quienes crearon el imperio, al que llamaron *Tawantinsuyu,* la 'Tierra de las Cuatro Regiones'.

Al igual que los aztecas, los incas expandieron su imperio mediante una combinación de conquista militar, amenazas de acciones punitivas y forja de alianzas. Pero mientras los aztecas pusieron el acento en el gobierno indirecto y la recaudación de tributos, los incas se implicaron de una forma más cercana en las vidas de los pueblos sometidos, estableciendo redes de poder con élites subordinadas mediante matrimonios, vínculos rituales, toma de rehenes, alianzas militares e intercambio de cultos, además de otras acciones obvias como la guerra y el terror. Pusieron en práctica lo que bien podría denominarse «imperialismo ecológico», desplazando bienes y mano de obra entre la amplia gama de zonas climáticas que abarcaba el mundo andino. Era un sistema tradicional entre los imperios andinos, pero los incas lo llevaron a una nueva extensión, pues unieron territorios más amplios y diversos que los de cualquier imperio anterior. A diferencia de los aztecas, se concentraron en la implantación del trabajo obligatorio más que en el cobro de tributos, aunque ambos aspectos fueron importantes. Bajo el sistema laboral imperial, llamado *mit'a* (literalmente, 'vez', un término que fue conservado por los españoles: «mita»), los granjeros locales trabajaban, además de sus propias tierras, otras tierras apropiadas por el estado inca, mientras que los hombres servían por turno en los ejércitos incas y en las construcciones urbanas. En México central había un sistema de rotación laboral denominado *coatequitl* (literalmente, 'trabajo de serpiente'), pero nunca se puso en práctica a un nivel estatal.

La mita también proporcionaba mano de obra para la construcción de una amplia red de 22.000 kilómetros de vías imperiales. Por su forma, éstas iban desde amplias carreteras hasta puentes de cuerdas en suspensión que cruzaban los barrancos entre montañas, permitiendo que los rebaños reales de llamas, los correos por relevos, los ejércitos y los tributos en especie pudieran moverse a lo largo de todo el imperio. El sistema viario, único en las Américas, mantenía unida una cadena de depósitos que almacenaban alimentos, productos textiles y otros con los que se proporcionaba suministros a los ejércitos, se alimentaba a los trabajadores de la *mit'a* y se mantenía a la rica élite inca. Los incas emplearon también *quipus* (hileras de cuerdas de colores con nudos) con el fin de tener información archivada de los tributos almacenados y de poder transmitir mensajes. Los dos gobernantes que sucedieron a Pachacuti, su hijo Topa Inca y su nieto

Huayna Capac, continuaron la política de constantes campañas militares. A medida que se extendía el imperio, también lo hacían su sistema viario, sus guarniciones y depósitos, su control de la mano de obra y unas comunicaciones rápidas gracias a un sistema de corredores con sus *quipus*.

En algún momento a finales de la década de 1520, Huayna Capac murió de repente, probablemente de viruela –la cual se extendió por México aún más rápido que los españoles–. La enfermedad se los llevó tanto a él como, poco después, al heredero que había elegido, todo ello antes de que un solo español hubiese plantado su pie en el imperio inca. El trono recayó entonces en un menor, Manco, mientras sus dos hermanos, Atahualpa y Huascar, acordaron compartir el gobierno del imperio. Pero este arreglo inicial desembocó un par de años después en una guerra civil. Los españoles tuvieron suerte: llegaron en 1532, en un momento en el que los incas estaban temporalmente divididos. Si hubieran comenzado la invasión más tarde, probablemente habrían encontrado a uno de los hijos de Huayna Capac controlando firmemente el trono.

Las similitudes entre lo que fueron los caracteres del imperio de los aztecas y el de los incas son una coincidencia. Cada imperio se desarrolló de forma independiente y no fue ni siquiera consciente de la existencia del otro. Algunos estudiosos han intentado explicar el éxito de los conquistadores españoles en términos de debilidad de los dos imperios, argumentando que ambos habían alcanzado su apogeo en la década de 1520. Pero ni los imperios ni sus emperadores eran frágiles o débiles cuando llegaron los españoles. Al contrario, Moctezuma estaba a punto de extender su dominio al país maya, y Atahualpa se disponía a consolidar el control sobre sus vastos territorios.

Además de los imperios azteca e inca, los españoles encontraron sociedades sedentarias y urbanizadas en diferentes grados, aunque menos centralizadas desde el punto de vista político, e intentaron convertir en súbditos coloniales a las comunidades más sedentarizadas; a largo plazo intentaron ampliar su plan con poblaciones trashumantes o nómadas. Este proceso fue por lo general violento, aunque a la postre exitoso, al menos desde la perspectiva de los españoles. Sin embargo, las poblaciones no sedentarias fueron perfectamente capaces de resistir a la conquista y a su incorporación a las nuevas colonias durante décadas, cuando no durante siglos, gracias a que vivían en las regiones más secas o húmedas de las Américas. En general, los pueblos sedentarios andinos –como los incas y los muisca–, y también los mesoamericanos –aztecas y mayas–, contemplaban a los pueblos vecinos de bosques, desiertos y montañas como bárbaros cuyas costumbres dietéticas y de otro tipo les resultaban despreciables. Los españoles se mostraron de acuerdo. Estos sentimientos hostiles fueron mutuos.

Por sus estilos de vida y sus prejuicios ideológicos, algunas culturas indígenas se mostraron más dispuestas que otras a simpatizar con los españoles, pero en todos los casos la relación entre españoles e indígenas comenzó en términos de absoluta ignorancia en ambos bandos. El completo aislamiento mutuo de Europa y la América indígena puede resultarnos difícil de imaginar, pero no puede haber duda de que, durante la mayor parte de la Historia, las Américas han tenido poco o ningún impacto en las sociedades que se desarrollaban en el resto del mundo, mientras que el resto del mundo tuvo poco o ningún impacto sobre los indígenas americanos.

Sigue existiendo cierta controversia acerca de cuándo terminó la emigración a las Américas, o incluso si alguna vez la hubo. Los vikingos establecieron un asentamiento en Terranova hacia el año 1000 d. C., pero aparentemente no tuvo ningún impacto en el desarrollo de las sociedades indígenas americanas. También es posible que pescadores o balleneros europeos trabajasen en la costa atlántica septentrional de las Américas a finales de la Edad Media. Pero incluso si existieron estas migraciones, no dejaron huella cultural ni física entre los americanos. Aunque el patrón de vientos y corrientes hace bastante improbable que los indígenas americanos cruzasen el océano Pacífico o el Atlántico, es probable que hubiese una mínima migración esporádica por mar procedente de Asia.

En cualquier caso, las Américas permanecieron eficazmente aisladas. Hasta la década de 1490 no existieron rutas prácticas bidireccionales de intercambio en el Atlántico; en el Pacífico, un avance semejante se postergó hasta que los navegantes españoles hallaron las rutas para cruzar el vasto océano hacia 1560. En el caso del Atlántico, hubo lentas mejoras, apenas documentadas, en la navegación, los aparejos y el almacenamiento de agua que hicieron cada vez más factible la navegación de largo alcance. Mientras, en algunas partes de la Europa atlántica se desarrolló un espíritu de aventuras a través de los mares que tuvo su reflejo en las novelas de travesías y de desatinos caballerescos que fueron leídas e imitadas tanto por los exploradores como por los conquistadores. En la década de 1480, las expediciones atlánticas comenzaron a resultar rentables a medida que los empresarios portugueses empezaron a obtener cantidades significativas de oro procedentes de África occidental. Entre tanto, se inició la producción de azúcar en las islas Canarias, y los productos del Atlántico norte acababan, cada vez más, en manos de comerciantes ingleses, portugueses y flamencos. El resultado fue que hubo financieros dispuestos a apoyar empresas como la de Colón.

La cultura del conquistador fue madurando durante un largo periodo. En la España medieval, especialmente a mediados del siglo XIII, la guerra fue creando poco a poco, y a intervalos, una frontera cristiano-musulmana que fue trasladándose en dirección sur. En 1264, el único reino musulmán que quedaba en la península Ibérica era el de Granada, y fue mermando de manera paulatina su extensión a favor de Castilla, el reino cristiano más agresivo, hasta que cayó definitivamente en 1492. Castilla era el mayor y más populoso reino de la Península; con cinco millones de habitantes, era cinco veces mayor que Portugal y Aragón. La unión mediante matrimonio de las coronas de Castilla y Aragón en 1479, la larga conquista de las islas Canarias que culminó en la década de 1490 y la conquista de Granada ayudaron a inculcar unas expectativas dinámicas –de carácter imperial– y a crear una mentalidad bélica para la que la guerra era una profesión que permitía la obtención de botines y recompensas.

En la época en que se produjo el descubrimiento de las islas del Caribe, los nobles castellanos, y aquellos que aspiraban a la nobleza, esperaban que Castilla continuase siendo un reino dominante en continua expansión. La comunidad de intereses y sentimientos entre la Iglesia y la Corona daría a los castellanos el derecho a sojuzgar, convertir y gobernar a otros pueblos. La aprobación papal confirmó estos derechos, a saber: que el imperio sería cristiano de una forma exclusiva y agresiva, convirtiendo, en el mejor de los casos, a musulmanes, judíos e indígenas americanos o, en el peor, persiguiendo, esclavizando y dando muerte a estos colectivos; que la tierra, o, al menos, parte de la fuerza de trabajo y de los tributos de los pueblos conquistados, se dividiría entre la élite conquistadora, y que los dirigentes castellanos en las tierras conquistadas vivirían en ciudades mantenidas por la fuerza de trabajo y los productos de los terrenos circundantes.

«La España romana fue un mundo lleno de ciudades –ha observado el historiador Michael Kulikowski– caracterizado por sus centenares de territorios urbanos». Esto también era cierto más de mil años después. Juan Pablo Mártir Rizo, un humanista e historiador español del siglo xvii, escribió de Castilla que «se hace de muchas ciudades un reino». La ciudad era un lugar cada vez más complejo de poder eclesiástico y estatal, riqueza elitista y prestigio social, civilización, conquista y colonización católica. En el siglo xvi, Sevilla era la mayor ciudad y, probablemente, la más multirracial de Europa. De igual manera, las ciudades españolas en las Américas se desarrollaron rápidamente en unos entornos de razas mixtas, multiétnicos y políglotas, cuya génesis fue la casa del conquistador, completada con sus subordinados africanos e indígenas americanos. En resumen, la ciudad, al igual que en la península Ibérica, se convirtió en las Américas en el rasgo definitorio del mundo forjado por los conquistadores españoles.

Los inversores que respaldaron a Colón perdieron la mayoría de su dinero. Sin embargo, a largo plazo, su negocio resultó productivo. Eran enormes las ganancias que se podían extraer de los peligrosos viajes por el Atlántico: los beneficios procedentes del oro y los esclavos del África occidental, de las oportunidades de fletes en el océano Índico, de la plata japonesa, de las especias del Sudeste Asiático y de los metales preciosos y del dinero ingresado por los tributos indígenas en América financiarían la expansión colonial europea. En la expansión portuguesa, las actitudes comerciales y conquistadoras estuvieron finamente equilibradas: los que se establecían en las fronteras eran, por lo general, mercaderes, vendedores ambulantes o transportistas vocacionales, aunque en ocasiones hubo «mercaderes guerreros» que encarnaban simultáneamente los valores mercantiles y bélicos. Por el contrario, a pesar de la importancia del comercio y de la sofisticada cultura urbana multirracial en la creación del imperio español, la escala de valores a partir de una violencia legalista y del interés en la colonización del territorio dominó el comportamiento de los conquistadores en la Castilla americana.

A modo de ilustración, volvamos a Jiménez de Quesada en los altiplanos de Colombia. Allí, los españoles habían matado al gobernante muisca, Bogotá, y habían establecido una alianza con su sucesor, Sagipa. El señor muisca –de acuerdo con un relato anónimo español de 1545– prometió «que les daría una casa pequeña llena de oro que decía que era de Bogotá». Pero, pasados unos días, los españoles, insatisfechos con la calidad del metal entregado, exigieron a Jiménez de Quesada que pusiese a Sagipa «en hierros y que le diese tormento». Cuando se negó, fue acusado de tener un acuerdo secreto con Sagipa. Con el inevitable recurso a la violencia flotando en el ambiente, los abogados de los conquistadores se enfrentaron entre sí: los disidentes eligieron a uno de los suyos, Jerónimo de Ayusa, para defender el caso; y Jiménez de Quesada nombró a su hermano, Hernán Pérez de Quesada, para apoyar su posición. La apariencia de un proceso legal correcto no podía prescindir del devenir del gobernante muisca. Después de discutir sobre el asunto, «los cristianos vinieron a dar tormento al cacique [Sagipa] para que diese y confesase dónde tenía el oro de Bogotá». Encadenado, fue sometido a diferentes tormentos –entre otros, se le quemaron los pies y se le derramó grasa animal hirviendo sobre su pecho–. «Al fin –afirma el relato español anónimo con frío laconismo–, el cacique murió».

2. Muchas victorias, grandes conquistas

Escribía el veterano conquistador y administrador colonial Bernardo de Vargas Machuca:

> Por la riqueza hemos visto y veremos muchas victorias y grandes conquistas y descubrimientos de grandes imperios que nos eran ocultos, como cada día se van viendo, por caudillos que con poderes reales en ello se han ocupado, con ánimo de señalarse sirviendo a su rey y emprendiendo jornadas de grande riesgo, trabajo y gastos, gastando sus haciendas sin ayuda de nadie, porque, como queda dicho, él hace la gente, la arma, paga y sustenta, y para esto importa ser rico.

Incluidos en su libro, *Milicia Indiana y Descripción de las Indias,* publicado por primera vez en 1599, estos comentarios fomentan la narrativa legendaria de los conquistadores autosuficientes, aunque enormemente leales, cuyos sacrificios conducen inevitablemente al triunfo. Los argumentos de Vargas Machuca eran propaganda; formaban parte de su defensa del conquistador. Él sabía muy bien que el siglo anterior había contemplado numerosas deslealtades, corrupciones y fracasos, comenzando con el desafortunado experimento caribeño.

Los castellanos no habían estado buscando un nuevo mundo más de lo que lo habían hecho los portugueses. El contrato de Colón con la Corona castellana era para una ruta marítima hacia Asia; el genovés insistió en que la había encontrado, pero sus afirmaciones no pudieron resistir mucho tiempo un análisis crítico. Cuando, finalmente, los portugueses rodearon África y fueron los primeros en abrir la verdadera ruta por mar hacia Asia, los monarcas castellanos arrestaron a Colón. Realizaría más travesías atlánticas, pero quedaría marginado de las experimentaciones castellanas en el Caribe.

Aquellos experimentos reflejaron las lecciones sacadas de la larga conquista de las islas Canarias. Los financieros que habían respaldado a Colón ya se habían unido para actuar como inversores en las Canarias. Su política de mantenimiento y conversión de las poblaciones indígenas, y su exención de la esclavitud, habían tomado forma previamente en el archipiélago canario. La idea de introducir nuevos cultivos, especialmente azúcar, e importar mano de obra para que lo trabajaran y lo procesaran surgió también allí. El establecimiento de las Canarias como un «reino» distinto dentro de la corona de Castilla y la más amplia monarquía española presagiaba la forma en la que los españoles concebirían y organizarían el Nuevo Mundo.

Hacia 1500, los asentamientos originales creados por Colón en La Española fueron abandonados, y se estableció una capital permanente en Santo Domingo. Durante los veinte años siguientes, los españoles utilizaron los pasos de piedra de los ríos para explorar, atacar y ocupar parcialmente las islas del Caribe. Tras La Española, las otras grandes islas –Cuba, Puerto Rico, Jamaica– se convirtieron en bases para posteriores expediciones de menor tamaño. Si el objetivo hubiera sido desplazar a la población indígena, extraer la riqueza mineral y regresar a España, los años del Caribe habrían resultado sumamente exitosos. Pero el objetivo era forjar un nuevo reino de carácter permanente y lucrativo, habitado por pacíficos cristianos convertidos, trabajadores y que pagasen sus impuestos. Por esa razón, el experimento caribeño fue un desastre.

Los pueblos indígenas arahuaco o taíno practicaban la agricultura, vivían en poblaciones permanentes y poseían complejas estructuras sociales; pero también vivían de la caza, la pesca y la recolección, y sus asentamientos no eran ciudades en ningún sentido. Los taínos no estaban acostumbrados a un sistema riguroso de trabajo impuesto por estrictos regímenes políticos y religiosos, del tipo de los establecidos desde hacía mucho tiempo en la península Ibérica, y que pronto implantarían los españoles entre los aztecas y los incas. Además, las violentas redadas españolas para hacerse con esclavos entre los isleños produjeron resistencia, huidas y muertes, lo que, a su vez, fomentó una mayor frustración y una política contraproducente por parte de los españoles. Bartolomé de las Casas afirmaba que las «crueldades y nefandas obras» de los colonos mataron a nueve de cada diez taínos de La Española. Aunque el fraile dominico omitía (o desconocía) el impacto de enfermedades epidémicas, tenía razón en el hecho de que la población de la isla disminuyó en un 90%, hasta dejarla en unas 15.000 personas, según estimaciones de la época, a mediados de la segunda década del siglo XVI.

Liderada por sacerdotes como Las Casas, comenzó una carrera para salvar almas, mientras la Corona iniciaba investigaciones judiciales y políticas sobre la razón por la cual las conquistas caribeñas habían resultado tan decepcionantes. Pero mucho antes de que esta reflexión interna ofreciese algún fruto, el impulso de la exploración y la conquista llevó a los españoles al territorio continental. Allí se emplearon los mismos métodos, y la población indígena sucumbió de igual forma ante las enfermedades del Viejo Mundo, provocando un drástico descenso demográfico. A diferencia del Caribe, en el continente americano había civilizaciones en expansión –los «grandes imperios que nos eran ocultos», en palabras de Vargas Machuca– y millones de sociedades sedentarias suficientemente fuertes como para sobrevivir al conquistador.

Dos cadenas

A medida que el Caribe se sumía en una violenta y muy poco rentable decepción, los españoles comenzaron a explorar cada vez con más frecuencia las líneas costeras que rodeaban este mar. Sus descubrimientos les llevaron a la forja de dos grandes líneas de conquistas.

La primera les llevó desde Cuba hasta el territorio continental en México. Los viajes de 1517 y 1518 permitieron el desembarco y exploración de la costa de la península del Yucatán, el punto de tierra firme más cercano a Cuba. Su patrocinador fue el gobernador de Cuba, Diego Velázquez, que ostentaba el título de «adelantado». Por esa razón, cuando encargó a uno de los «encomenderos» (colonos conquistadores que tenían derechos sobre la fuerza de trabajo y los tributos de los indígenas) de la isla que dirigiera una tercera expedición en 1519, autorizó al jefe elegido, Hernán Cortés, a explorar, no a invadir. Se creaba de este modo un sistema de patronazgo bien jerarquizado que comenzaba en el rey de España y descendía hasta los capitanes de menor rango que arriesgaban sus vidas en el mar o en las selvas de las Américas. El vínculo desde la selva hasta la corte no era directo, y paradójicamente buena parte de lo que hacía más fuerte esa cadena jerárquica eran los continuos intentos de los españoles de baja alcurnia por ascender y acercarse lo más posible a su fuente regia.

Sospechando que Cortés intentaría hacer precisamente eso, saltarse a su patrono y buscar directamente el apoyo real, hasta el último minuto Velázquez intentó, en vano, evitar que la expedición levara anclas de Cuba. Una vez que sus quinientos hombres desembarcaron en tierra firme mexicana (vía Cozumel y tras una rápida travesía a lo largo de la costa del Yucatán), Cortés barrenó la mayoría de sus once naves y declaró formalmente su lealtad directa al rey. Fundó a continuación una ciudad (un simple acto ritual) cuyo consejo urbano le dio su apoyo, obteniendo así una pátina de legalidad a sus acciones.

Aquello ocurrió seis años antes de que Cortés recibiese desde España la aprobación personal del rey por su revuelta contra Velázquez y su guerra contra los aztecas.

Los primeros invasores españoles de México se movieron lentamente hacia la capital de lo que era –pronto lo descubrirían– un impresionante imperio regional. Eran pocos y mal equipados: aunque sus espadas de acero eran bastante eficaces en comparación con los garrotes con obsidiana incrustada que utilizaban los indígenas en las batallas, sus armaduras suponían realmente un estorbo; sus armas de fuego y sus caballos eran escasos y de poca utilidad en los terrenos montañosos repletos de poblaciones; y no tenían medios para renovar sus suministros ni sus municiones. Tampoco tuvieron demasiadas oportunidades para adaptarse a un clima casi inimaginable, ni a los entornos, paisajes, alimentos y enfermedades con los que se encontraron. Estaban por tanto a merced de potenciales enemigos que, de haberlo querido, podrían haberlos exterminado.

Entonces, ¿qué los salvó? Tres circunstancias: la primera, que se encontraban en medio de unos pueblos cuyas culturas los predisponían a recibir a los extranjeros con hospitalidad, incluso con temor; la segunda, que se beneficiaron del antagonismo entre unas comunidades indígenas cuyo odio mutuo superaba con mucho cualquier sospecha que pudieran abrigar respecto a los recién llegados; la tercera, que es discutible que la mayoría de los indígenas –si bien apreciaban a los recién llegados como aliados potenciales y los estimaban por la magia o santidad que sugería su novedad– subestimara la amenaza que representaban. Los jefes indígenas se esforzaron por ganarse la amistad de los españoles, ofreciéndoles alimentos y mujeres, e implicándolos en pequeños combates de prueba para evaluar su valía como aliados. Esto fue lo que hicieron los tlaxcaltecas –los principales rivales y enemigos de los aztecas–, quienes, después de probar a los conquistadores en batalla, los adoptaron como aliados, participando como tales en la masacre de sus odiados vecinos en la ciudad de Cholula.

De este modo, Cortés formó un frente común con los señores locales. Los españoles querían avanzar hacia el valle de México para enfrentarse al emperador azteca con tantos aliados indígenas como fuera posible. Los gobernantes indígenas estaban ansiosos por ver salir a los españoles de sus territorios y empezaban a plantearse la posibilidad de derrumbe del imperio azteca. Algunos, como los totonacas, que estaban sometidos al imperio azteca, se mostraban dispuestos a rebelarse contra él, y otros, como los tlaxcaltecas, habían resistido la expansión azteca y estaban finalmente decididos a aprovechar la oportunidad de destruir a sus antiguos enemigos. La iniciativa de forjar la alianza que acabó derribando la hegemonía azteca no partió –de hecho, no podía partir– de Cortés, que nada sabía sobre la política indígena y no podía hablar ninguna lengua nativa. Se ayudó de una mujer indígena, llamada Doña Marina por los españoles y Malinche por los nahuas, que actuó como su intérprete. En los relatos indígenas sobre la conquista, esta mujer representa un papel muy destacado, como mínimo como guía, y a menudo como uno de los jefes.

Una fuerza combinada, en la que los tlaxcaltecas y otros aliados acompañaban a los españoles, avanzó hacia

Tenochtitlan. En noviembre de 1519 entraron en la ciudad como invitados de Moctezuma. Con la ayuda de la intérprete de Cortés, el emperador le ofreció un discurso de bienvenida que éste afirmó (en una carta dirigida al rey de España) haber interpretado como una rendición. Intrigado por aquellos extranjeros que habían surgido en un rincón de su imperio, Moctezuma procuró exhibir su majestad por medio de la hospitalidad. Pero los españoles, muy inferiores en número y temerosos, pronto recurrieron a la traición y el terror. En lo que fue en realidad un golpe de Estado, Cortés apresó y encarceló a Moctezuma; además, ordenó que cualquiera que osase alzar su mano contra los españoles y sus aliados fuese despedazado y arrojado como alimento para los perros. Se trataba de acciones ya puestas en práctica por los conquistadores en el transcurso de décadas de cacerías de esclavos en el Caribe, acciones que resultaron ser todavía más eficaces contra los pueblos del continente, que dependían de sus reyes bendecidos por la divinidad. El empleo del terror no sólo fue una estrategia factible, sino que fue también una necesidad psicológica para la exigua y asediada banda de conquistadores, rodeada de peligros desconocidos y desconectados de toda esperanza de ayuda procedente de su hogar.

Durante los ocho meses siguientes, los invasores españoles y tlaxcaltecas, parcialmente contenidos dentro del centro de la ciudad, sobrevivieron de forma precaria y cada vez más inquietos. Cortés continuó llevando a cabo muestras de desafío y bravatas que surtieron efecto. Ordenó que se colocasen las imágenes de la Virgen María en lo alto de los templos aztecas para reafirmar así el poder del dios de los invasores. También condujo un contingente de españoles y aliados indígenas hasta la costa del golfo de México para enfrentarse a una compañía de partidarios de Velázquez que habían llegado en barco desde Cuba para enfrentarse a Cortés; los derrotó y la mayoría de ellos se unió a su causa. Cortés regresó a Tenochtitlan para descubrir que el tiempo se había vuelto a favor de los aztecas. A las órdenes de Pedro de Alvarado, los españoles se encontraban cercados.

Los españoles, desesperados, exhibieron a Moctezuma ante la población, pero el gesto fracasó. El monarca murió, asesinado por los españoles o, quizá, como se afirmó más tarde, apedreado hasta la muerte por la multitud. La noche del 30 de junio de 1520, los invasores intentaron escapar de la ciudad sin ser descubiertos. Pero los guerreros aztecas estaban esperando, y dieron muerte aproximadamente a la mitad de los españoles y a miles de tlaxcaltecas y otros aliados indígenas. Cortés y sus desaliñadas fuerzas se reagruparon finalmente con la ayuda de los tlaxcaltecas, pero hubo de pasar todavía un año antes de que cayesen Tenochtitlan y su ciudad gemela, Tlatelolco. Aislados del continente, los aztecas se enfrentaron a las enfermedades y el hambre, viéndose atacados por tierra y agua. Unos barcos, construidos a orillas del lago Texcoco y armados con cañones, vigilaban el lago y ayudaban a machacar a los contingentes de guerreros aztecas supervivientes que se trasladaban en canoas. La ciudad fue tomada y saqueada, casa por casa, pero no ofreció oro, sino pilas de cadáveres, víctimas de enfermedades, del hambre y del mismo asedio. Ni siquiera entonces se sintió Cortés lo suficientemente fuerte como para proclamar el final del mundo azteca; por el contrario, intentó tranquilizar a las inquietas élites aztecas buscando una base sobre la que acomodarlas y confirmando al heredero de Moctezuma como soberano. Sin embargo, tanto dentro como en el extrarradio del imperio, la gente se dio cuenta de que los viejos tiempos habían llegado a su fin. En las zonas más alejadas, las comunidades intimidadas hasta entonces por los aztecas reanudaron los enfrentamientos. El efecto fue aumentar el poder de los españoles, pues, como extranjeros no implicados en la política tradicional, eran muy demandados para que actuasen como árbitros en las disputas.

A finales del año 1521, el antiguo imperio azteca estaba destruido, pero su entramado de rutas comerciales, listas de tributos y relaciones diplomáticas entre las familias dirigentes seguía en funcionamiento. Los españoles intentaron de inmediato hacer uso de este entramado y convertirlo en una parte elemental de la estructura de su propio imperio en Mesoamérica, al que dieron el nombre de Reino de Nueva España. En la mayoría de las comunidades, los españoles alcanzaron un entendimiento con las élites existentes sin necesidad de violencia, un hecho que la tradición historiográfica ha ignorado o suprimido, quizá a causa del engañoso enfoque de los conquistadores sobre su propio valor.

Al igual que los aztecas habían empleado la fuerza en la región, también los españoles se sirvieron de ella –utilizando a guerreros aztecas, supervivientes de la guerra, que se habían unido a otros aliados nahuas– para ampliar las fronteras de Nueva España. En la década de 1520, justo cuando de los escombros de Tenochtitlan comenzaba a nacer Ciudad de México, construida con un aspecto renovado, inspirado en las maneras españolas, también un imperio mexicano español surgía de las cenizas del antiguo imperio de los mexica.

Cortés dirigió en persona una expedición a Honduras (aprovechando por el camino la oportunidad de confirmar el desplazamiento de poder a sus propias manos al ejecutar al último emperador azteca, el prisionero Cuauhtémoc). Honduras fue más o menos conquistada en la década de 1530 por Francisco de Montejo, quien también marchó al interior de la península del Yucatán, fracasando en dos ocasiones en su intento de conquistar el Yucatán maya. Su hijo fundó finalmente una colonia allí en la década de 1540. Mientras tanto, Pedro de Alvarado invadió el altiplano de Guatemala en 1524, y lo abandonó dos años después con poco que mostrar salvo un legado de violencia.

La cadena de conquistas llevó rápidamente a los españoles a la mayoría de rincones de Mesoamérica y, poco después, hacia el norte, a territorios de lo que hoy es el sudoeste de los Estados Unidos, y hacia el este, a través del Pacífico, a las que serían bautizadas como islas Filipinas. Pero la fundación de colonias resultaría un proceso prolongado y muy controvertido. La conquista política y material del centro de Mesoamérica no había sido sencilla, y en los márgenes la conquista duraría siglos. Igualmente retadora sería la tarea de ganarse los corazones y las mentes de millones de antiguos súbditos aztecas y de otros grupos indígenas que eran oficialmente súbditos del rey de España. Ésta sería la larga historia de la Mesoamérica colonial, una «Nueva España» muy diferente de su homónima ibérica.

Si una secuencia de conquista fue desde La Española hasta Cuba, desde allí hasta México y a continuación hasta Centroamérica, otra se extendió desde La Española hacia el istmo de Panamá, y desde allí, bajando por la costa del Pacífico, hasta Sudamérica. La conquista y asentamiento de pequeñas colonias en la cara atlántica del istmo comenzó en 1508, y cinco años después Panamá recibió al primer obispo español nombrado para el territorio continental americano. Ese mismo año, la orilla pacífica del istmo fue descubierta por un esclavo africano y por su propietario, Vasco Núnez de Balboa, que fue el primer invasor del Nuevo Mundo que contempló el océano Pacífico.

Durante la década siguiente, los españoles establecieron un asentamiento en el lado del Pacífico (llamado Panamá) y comenzaron a explorar la costa y el océano hacia el sur (lo que los españoles bautizaron como «Mar del Sur»). Entre los primeros colonos del istmo estaban los hermanos Pizarro. Uno de ellos, Francisco, navegó en 1522 en dirección sur desde Panamá en busca de un destino del que había escuchado rumores: «Pirú» (el nombre era, en realidad, el de un caudillo mítico, aunque posteriormente se transformó en «Perú» y se identificó con un imperio). Había mucho más que un cacique que encontrar allí, y costó una década de reconocimiento de las costas y humillantes fracasos antes de que Pizarro, sus hermanos y su socio Diego de Almagro marcharan por fin hacia el imperio inca (véase Figura 4). Mientras tanto, Pizarro había adquirido unos traductores quechuas empapados desde hacía muchos años en el español de Castilla, un pequeño ejército de hombres con caballos, ar-

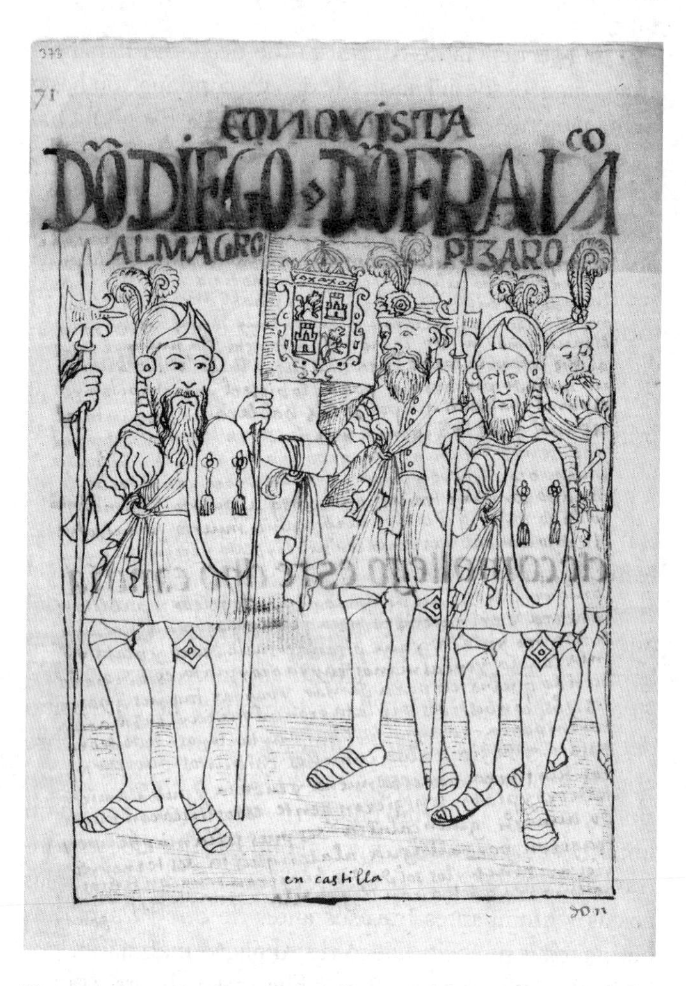

Figura 4. Francisco Pizarro y Diego de Almagro. Dos imágenes de un relato único de la historia andina durante la conquista (1615), la *Nueva Crónica y Buen Gobierno,* de Felipe Guamán Poma de Ayala, un mestizo de antepasados españoles e indígenas andinos. En esta página aparecen Diego de Almagro y Francisco Pizarro, los socios originales en esta primera invasión del imperio inca. En la imagen opuesta, una década más tarde en el Perú español, el hijo mestizo de Almagro asesina a Pizarro.

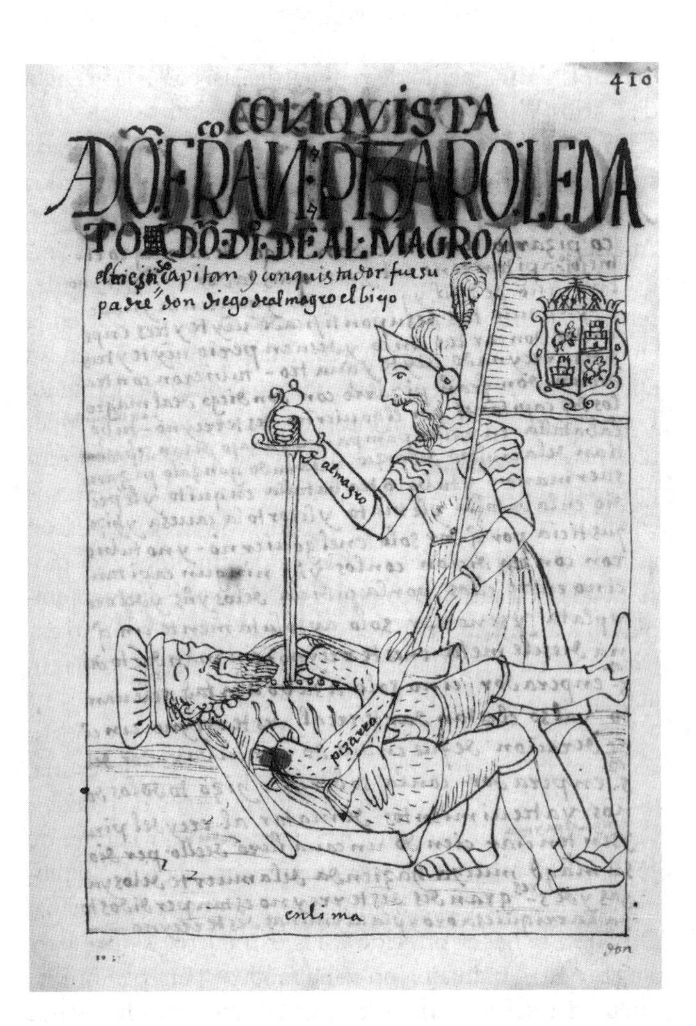
CONQVISTA
DÕ FRAN PIZARO LE MA
TO DÕ DI DE ALMAGRO
capitan y conquistador fue su
padre don diego de almagro el biejo
almagro
pizarro
en lima

maduras y armamento de vanguardia, así como la licencia de Carlos V para llevar adelante la invasión.

En 1532, *Tawantinsuyu,* el mundo inca, se encontraba sumido en una crisis sucesoria. En los cinco años pasados desde la muerte del Inca Huayna Capac, dos de sus hijos, Atahualpa y Huascar, habían luchado por el poder. Cuando Pizarro y sus 168 hombres ascendieron a los Andes septentrionales para encontrarse con el emperador en la ciudad sagrada de Cajamarca, Atahualpa estaba en su apogeo gracias a una reciente victoria sobre su hermano. Lejos de sentir temor, intentó, como ya había hecho Moctezuma en México, atraer a su servicio a aquellos extranjeros con curiosas barbas y bien armados. Aunque sus caballos, armas de fuego y espadas de acero causaron asombro, los españoles no fueron confundidos con dioses. Tanto los andinos como los mesoamericanos contemplaron a los españoles y a sus esclavos africanos como extranjeros a los que había que analizar, y luego rechazar, acomodar o utilizar en función de las circunstancias.

Por su parte, la costumbre de los conquistadores consistía en iniciar un encuentro diplomático que se convertiría, por medio de la traición, en una violenta toma de rehenes, y a ser posible el apresamiento del rey. En noviembre de 1532, en un ataque sorpresa durante un encuentro diplomático, Pizarro y sus hombres capturaron a Atahualpa. Después de haber ofrecido a los extranjeros alimentos y alojamiento, Atahualpa no tenía motivos para pensar que intentarían secuestrarlo y pedir un rescate, y mucho menos asesinarlo. Humillado, fue mantenido como rehén durante casi un año mientras sus súbditos se apresuraban a reunir oro y plata para liberarlo. Los incas poseían mucho más oro y plata que los aztecas, y el tesoro de metales ofrecido para liberar a su jefe, a quien los andinos consideraban un ser divino, fue asombroso. De repente, Pizarro y sus seguidores eran más ricos de lo que hubieran imaginado en sus sueños más salvajes. De este modo, la palabra «Perú» se convirtió de inmediato entre los europeos en sinónimo de gran riqueza, una asociación que pronto se reforzaría con el descubrimiento de unas minas de plata inmensamente ricas. Sin embargo, a pesar del rescate, el Inca Atahualpa fue ejecutado en 1533 por orden de Pizarro. La traición fue completa. No obstante, la verdadera conquista militar de *Tawantinsuyu* todavía estaba por venir.

La primera fase militar de la conquista española del imperio inca continuó durante toda la década de 1530. Igual que en México, la lucha fue obra de una confederación de pueblos indígenas que estaban resentidos con la supremacía inca y que aceptaban a los españoles, los cuales no se hallaban comprometidos con ningún bando al no estar inmersos en la política indígena. Primero Cuzco, después Quito, las dos capitales del imperio, fueron capturadas en 1534. Pero quedaba un soberano inca, Manco Capac.

Tiempo después, los españoles retratarían a Manco como una marioneta del régimen de Pizarro, un heredero al trono de Atahualpa únicamente por la gracia de los españoles. Pero a ojos de los andinos, Manco era el gobernante legítimo. En el relato de la conquista redactado por su hijo y posterior gobernante inca, Titu Cusi Yupanqui, Manco era el emperador legítimo desde antes de que aparecieran los españoles. Según la perspectiva de Manco y de aquellos que le eran leales, Atahualpa y Huascar habían sido unos meros usurpadores, cuyas muertes no marcaban la conquista del imperio inca, sino, más bien, su retorno a un gobierno legítimo.

Acosado por los españoles, que no sólo exigieron repetidamente a Manco enormes pagos en oro y plata, sino también a sus esposas más hermosas, en 1536 Manco intentó expulsar de Cuzco a los desagradables invasores. Casi tuvo éxito, pero se vio forzado a retirarse corriente abajo del río Urubamba, más allá del complejo palaciego de Machu Pichu, donde estableció un estado inca en las húmedas tierras bajas, en un lugar llamado Vilcabamba. Allí, Manco y varios sucesores, incluyendo a su hijo Titu Cusi, mantuvieron el «imperio» inca hasta 1572.

Mientras tanto, con tanta riqueza y territorio en juego, los conquistadores españoles comenzaron a batallar los unos contra los otros –y finalmente contra la Corona– por hacerse con el control de Perú. Hubo violentos desacuerdos entre los seguidores de Pizarro y los de Diego de Almagro, el primer socio de Pizarro. Después de varios intentos de compromiso, Pizarro ejecutó a Almagro por rebelde, tan sólo para ser asesinado a su vez por el hijo de su antiguo aliado en 1541 (véase Figura 4).

Hubo otros contendientes en la lucha por el Perú, como Pedro de Alvarado, recién llegado de su presunta conquista de Guatemala. A pesar de tener bajo sus órdenes a una expedición numerosa y bien equipada, Alvarado se perdió en las selvas de la costa de Ecuador y llegó a Quito demasiado tarde para participar en su saqueo. También Sebastián de Benalcázar, uno de los capitanes de Pizarro, a quien había derrotado en una marcha por los altiplanos del sur, marchó en dirección norte, más allá de Cali, en la actual Colombia, donde se encontró con otros conquistadores que se dirigían al sur desde la costa caribeña en busca de un mítico jefe tribal al que los españoles llamaban «El Dorado».

A medida que la invasión española de tierras indígenas se iba alejando de los antiguos centros imperiales, los representantes de Carlos V intervinieron con la esperanza de establecer el orden y recaudar impuestos en metales preciosos. Entre la nueva normativa había una ley que limitaba a los conquistadores el acceso a las «encomiendas» (concesiones de mano de obra indígena que debían entregar tributos a los encomenderos), y otra que prohibía la esclavización de los pueblos indígenas en las Américas. Los argumentos de Las Casas en la corte habían triunfado, pero era poco lo que el fraile podía hacer para asegurar que se cumplieran las llamadas «Leyes Nuevas». En Perú, los atropellos de los conquistadores prendieron la llama de una revuelta y una guerra civil que se prolongó hasta 1548. Al final, se impuso la Corona, pero no antes de que muriese un virrey en batalla y de que Gonzalo Pizarro, uno de los hermanos menores de Francisco Pizarro, fuese apresado y ejecutado como rebelde. Pronto las leyes fueron limitándose mediante compromisos, mientras los insatisfechos conquistadores continuaron rebelándose contra la autoridad de la Corona hasta la década de 1570.

«A la espada y el compás / más y más y más y más»

No todas las expediciones encajan a la perfección en el esquema de las dos que hemos visto. La excepción más obvia es la campaña de Jiménez de Quesada en Colombia, que llegó directamente desde las islas Canarias. Pero, en general, las expediciones que se saltaron la norma fueron intentos tardíos de conquistar y asentarse en regiones que, por una u otra razón, habían sido ignoradas, o bien eran inútiles búsquedas de tierras prometidas o ricos reinos indígenas que, en realidad, no existían. Un ejemplo es la desastrosa campaña en la década de 1550 dirigida directamente desde Sevilla por Pedro de Mendoza, que bajó la corriente del Río de la Plata. El nombre del río era el símbolo de una ilusión que fue el motivo fundamental de la expedición. Mendoza esperaba otro Perú, pero no encontró nada ni siquiera parecido; en unos pocos meses, habían muerto dos tercios de los mil quinientos españoles que la iniciaron, la mayoría de hambre.

Durante la segunda mitad del siglo XVI, México y Perú se consolidaron como centros coloniales sin rival. Allí donde habían dominado los imperios indígenas durante el siglo anterior, irradiaban ahora poder y riqueza los reinos españoles indígenas, financiando la ampliación continua de la frontera de la conquista. Sin embargo, para finales de siglo seguía habiendo conquistadores combatiendo en numerosos rincones de las Américas. La inscripción sobre el frontispicio de la *Milicia Indiana* de Vargas Machuca de 1599 –«A la espada y el compás / más y más y más y más» (véase Figura 8 en el capítulo 5)– era menos una referencia a pasadas conquistas que una continua llamada a las armas, a que se mantuviera el espíritu del conquistador.

La naturaleza sangrienta, prolongada, de la conquista de los mayas ¿fue más un tributo al conquistador español o a la tradición maya de resistencia obstinada? Resulta difícil decirlo. Los arqueólogos hablaron en su día de imperios mayas, pero eso fue antes de que se descifraran sus jeroglíficos. Ahora está suficientemente claro que, durante milenios, las ciudades-estado mayas intentaron en vano dominar a sus vecinas, desarrollando la idea de una monarquía divina sobre la que se podrían haber sostenido imperios tan impresionantes como el azteca y el inca. Sin embargo, a pesar de su derrota, los mayas se negaban a someterse a sus vecinos, y mucho menos a unos recién llegados; a lo largo de los siglos xvi y xvii resistieron de manera similar a los invasores españoles y nahuas. Al final, se pudieron establecer colonias en el país maya, pero sólo después de años de guerras de castigo, y únicamente en ciertas zonas de la región.

Los españoles sufrieron dolorosos encuentros con guerreros mayas a lo largo de la costa del Yucatán durante la década de 1550, pero el asalto sobre los mayas había comenzado en serio en 1524-1529. Aquel lustro fue testigo de dos invasiones a gran escala de los altiplanos guatemaltecos: la primera comandada por Pedro de Alvarado (véase Figura 6 en el capítulo 3) y posteriormente por su hermano Jorge. Aparentemente, los Alvarado contaban con dos grandes ventajas. En primer lugar, los altiplanos estaban dominados por dos reinos rivales, los de los mayas kaqchikel y k'iche', y se pudo explotar su enemistad, azuzando a unos contra otros, y utilizando a ambos para ir eliminando a las ciudades-estado y reinos menores que los rodeaban. Ésta era la estrategia española previsible, pero se desmoronó bajo el peso de la mano dura de Pedro de Alvarado y la intransigencia maya.

La segunda ventaja consistía en el tamaño de la fuerza invasora –no de los españoles per se, que eran unos pocos cientos, sino de sus aliados–. Pedro llevó consigo unos seis mil aztecas, tlaxcaltecas, zapotecas, mixtecas y guerreros de otros pueblos mesoamericanos. La fuerza aliada de Jorge era todavía mayor, pues acogía a más de diez mil aztecas y otros guerreros del centro de México. El impacto de semejante fuerza fue devastador, y los altiplanos fueron virtualmente destruidos durante su conquista. Al final, fueron los conquistadores indígenas quienes establecieron una colonia en los altiplanos; los supervivientes permanecieron allí como colonos, contribuyendo a la creación de la Guatemala colonial.

Entre tanto, al norte, en el Yucatán, ocurría algo similar. Allí, los españoles liderados por Francisco de Montejo fracasaron en su empeño de encontrar un imperio que derribar o una fuente de gran riqueza. Igual que en Guatemala, un puñado de reinos con una historia de conflictos parecían favorecer una estrategia de división y conquista. Pero los gobernantes mayas demostraron ser tan hábiles para manejar a los invasores españoles como los españoles lo fueron para manipularlos. Desde su inicio en 1527, a los Montejo (padre, hijo y sobrino) les costó tres invasiones y dos décadas asegurar una colonia en el norte. Tal como había ocurrido en los altiplanos guatemaltecos, la victoria llegó sólo después de que llegaran miles de guerreros aliados procedentes del centro de México, y de que la mayoría de la población maya hubiera sucumbido a las enfermedades y la violencia.

A pesar de todo, a finales del siglo XVI las colonias españolas de Yucatán y Guatemala excluían la mayor parte del área maya. Los mapas españoles marcaban el espacio entre las dos colonias como «despoblado», pero aquella ficción ocultaba el fracaso de las autoridades coloniales para conquistar a todos los mayas. Las fronteras se ampliaron periódicamente, pero en ocasiones también se contrajeron. La ciudad española de Bacalar, situada en el centro de la región maya, cerca de la costa del Caribe, fue abandonada durante un siglo en la década de 1630. La frontera colonial en la base sudoccidental de la península se movió de forma drástica en torno al año 1660 a causa de una rebelión maya, provocada cuando los funcionarios españoles llamaron a miles de mayas –que habían sufrido una dura sequía– para que emigrasen hacia los reinos independientes del llamado «despoblado». El mayor de estos reinos, el de los mayas itzá, llegó a experimentar cierto crecimiento durante el siglo xvii, hasta su sangrienta y costosa destrucción en 1697 por una fuerza invasora de españoles, milicianos negros libres y mayas del Yucatán.

Un factor importante en la destrucción del reino itzá fue el papel representado por Ah Chan, sobrino del rey itzá. En 1695, Ah Chan había sido enviado a Mérida, la capital de la colonia en el Yucatán, como embajador de paz y sumisión. El rey esperaba que un reconocimiento nominal del control colonial pudiera salvar su trono. Ah Chan se convirtió al cristianismo y fue bautizado como Martín Chan, tomando el nombre de su padrino, don Martín de Ursúa, gobernador de Yucatán y, poco después, conquistador de los itzás. Ah Chan permaneció fiel a esta idea de sometimiento mientras se producía la invasión española del reino itzá, pero abandonó a los españoles seis meses después de la conquista del reino. Entendiendo, con razón, que el gobierno colonial español en aquella región era un desastre, se convirtió en el líder de la resistencia itzá, y gobernó, hasta por lo menos 1757, sobre un reino independiente de mayas itzás, chol y mopán en las selvas de lo que actualmente es el norte de Guatemala y Belice.

La región de los mayas no fue la única parte de las Américas donde las actividades de los conquistadores españoles carecieron de la narrativa novelesca que tuvieron las invasiones de los aztecas y los incas, o de las rápidas y trágicas conclusiones de campañas como la de Mendoza bajando el curso del Río de la Plata. En la región de Chocó, en la actual Colombia, los citarás y sus vecinos soportaron, a pesar de ser diezmados por las enfermedades, una guerra desgarradora para hacer frente a la esclavitud y una reubicación forzosa impuesta por los misioneros.

Al igual que ocurrió en la región de los mayas, resulta difícil decir qué mostró una mayor tenacidad, si los furiosos embates de los conquistadores y colonos o la negativa de los indígenas a someterse. Tanto los españoles como los indígenas parecieron atrapados en el conflicto durante siglos. La «conquista» o la «pacificación» violenta de los chocó duró la mayor parte de los tres siglos del periodo colonial. Simplemente, la gente se negó a ser trasladada, a ser obligada a trabajar o a cambiar la forma en la que se casaban o enterraban a sus muertos. En la década de 1680, los indígenas –a los que los españoles llamaban «rebeldes»– mataron a 126 españoles y a sus esclavos africanos y expulsaron al resto. El imperio contraatacó, y finalmente algunos indígenas fueron convertidos. La cultura española tuvo un impacto a largo plazo en otros aspectos, cuando los pueblos locales adoptaron nuevos bienes materiales y animales de granja, y cuando aprendieron el empleo del sistema legal español para defenderse.

Nuevo México tuvo una historia similar: una colonia, incorporada a la monarquía en 1598 con deslumbrante ambición y desgarradoras dificultades, desapareció tras una feroz insurrección indígena en 1680. Obligada, de manera sistemática y sangrienta, a volver a la obediencia imperial, fue escasamente repoblada con misioneros y hombres de la frontera. El coste de esa segunda conquista fue que jamás pudo recuperarse.

El pueblo indígena con el más persistente y asombroso récord de resistencia a los conquistadores (y a cualquier invasor extranjero) es el mapuche. El hogar de los mapuches o araucanos (un término procedente del río Arauca) es la accidentada franja costera, unas suaves colinas y densos bosques lluviosos templados de la zona meridional de América del Sur. Los conquistadores descubrieron que los pueblos conquistados recientemente por imperios indígenas –como los nahuas, los mixtecas y otros súbditos de los aztecas– eran atraídos con facilidad por la nueva colonia. Por la misma razón, aquellos que tenían una tradición de resistencia a ser ocupados por imperios extranjeros resultaban a menudo más difíciles de conquistar.

Los mapuches eran uno de estos pueblos; habían resistido a los incas durante un siglo, e iban a resistir a los colonos españoles y al estado chileno durante otros cuatro siglos. Su éxito fue, en parte, cultural; sus niños eran criados para una vida de guerreros, y el valor militar era recompensado por encima de otras virtudes. Pero los mapuches también fueron capaces de apropiarse de dos ventajas exhibidas por los conquistadores: adoptaron rápidamente los caballos, las armas de fuego, los cuchillos y las espadas de acero; y bloquearon los intentos de los conquistadores de utilizar una estrategia de «divide y conquistarás» formando duraderas confederaciones con sus vecinos indígenas.

España jamás conquistó a los mapuches. Y sólo hasta la década de 1880 las fuerzas armadas chilenas no consiguieron someterlos parcialmente empleando armamento moderno, deportaciones forzadas y amenazas de genocidio, un proceso similar al utilizado en la misma época contra los pueblos indígenas de las planicies de Argentina y del oeste norteamericano.

3. Dar cuenta acerca de quién soy

> Por lo que a mí toca y a todos los verdaderos conquistadores, mis compañeros, que hemos servido a Su Majestad así en descubrir y conquistar y pacificar y poblar todas las provincias.

Así escribía el veterano conquistador Bernal Díaz del Castillo al rey de España. Su propósito, afirmaba, era «dar cuenta de quién soy, para que Vuestra Majestad más cumplidas mercedes sea servido hacerme». Como muchos de sus compatriotas, Díaz se sentía obligado a «dar cuenta» repetidamente acerca de quién era, porque las «mercedes» que se le concedían nunca compensaban sus sacrificios y logros. Para el momento de su fallecimiento en 1585, después de setenta años en el Nuevo Mundo, no era más que uno de los miles de conquistadores-colonizadores que habían luchado para ganarse el reconocimiento del rey. Aquellos hombres vieron cómo una pequeña minoría adquiría grandes fortunas, una posición social considerable y, para unos pocos, fama duradera. Dos de ellos incluso se convirtieron en leyendas. Irónicamente, fueron hombres como Bernal Díaz quienes contribuyeron a la formación de esas leyendas.

Cortés y Pizarro, como los «grandes capitanes» que dirigieron las invasiones de los dos imperios indígenas americanos, alcanzaron un renombre durante su vida que ha sobrevivido, incluso aumentado, hasta el día de hoy. Una reciente historia del imperio español describía a Cortés y Pizarro como los «dos súbditos más importantes» del emperador Carlos V, y a los tres juntos como «los tres hombres más grandes de la época». Sea o no cierta esta afirmación, no hay duda de que si comenzásemos nuestro propio relato sobre quiénes fueron los conquistadores por la cúspide de la pirámide de fama y hazañas y descendiésemos, deberíamos comenzar con Cortés y Pizarro.

Después de estos dos, ¿quiénes son los tres siguientes que alcanzaron fama duradera? El ejercicio no es trivial, porque los propios conquistadores discutieron en extenso acerca de quién era el mejor a la hora de seguir los pasos de los conquistadores de los aztecas y los incas. Jiménez de Quesada, por ejemplo, escribió al rey en 1576 diciéndole que él estaba considerado el tercer capitán más importante en la historia de la conquista (pero, afirmaba, algunos lo colocaban en primer lugar en términos de calidad y lucro de sus conquistas). Basándonos en la cantidad de espacio dedicado a conquistadores concretos en su *Milicia Indiana,* Vargas Machuca colocaba a Jiménez de Quesada en segundo lugar, entre Cortés y Pizarro, sin que hubiera más conquistadores que recibiesen más que una mención de pasada.

Esperando que Jiménez de Quesada nos disculpe, hemos seleccionado, además de a Cortés y Pizarro, a otros tres para formar un grupo que podríamos llamar «los cinco grandes»: Pedro de Alvarado, Francisco de Montejo (el mayor) y Hernando de Soto. Si nos basamos en el número de apariciones en Internet en el momento de escribir este libro, el reconocimiento de los nombres de los conquistadores en el mundo moderno sitúa a Juan Ponce de León, Álvar Núñez Cabeza de Vaca, Francisco Vázquez de Coronado y Hernando de Soto (en este orden) por delante de Cortés, Pizarro, Alvarado y Montejo. La causa de ello se debe probablemente a que los primeros desempeñaron un papel crucial en las primeras exploraciones de territorios que con el tiempo se convertirían en parte de los Estados Unidos (e Internet tiene un sesgo evidente a favor del mundo angloparlante). De estos cuatro, seleccionamos a Soto sencillamente porque podría decirse que el ámbito geográfico de sus experiencias conquistadoras lo convierte, en términos generales, en el conquistador más representativo (aunque Cabeza de Vaca también lo podría haber sido).

Hernán Cortés nació a comienzos de la década de 1480 en Medellín, Extremadura, una región pobre y seca del oeste de España. Era hijo de un hidalgo ilegítimo, Martín Cortés. Siendo joven, probablemente comenzó –por lo menos– un curso de leyes en la Universidad de Salamanca, pero la vida sedentaria le resultó aburrida y falta de remuneración, por lo que marchó a Valencia con la intención de buscar fortuna con las fuerzas españolas que combatían en Italia. Esa ambición –alcanzar la gloria y mejorar la posición social mediante logros militares en el

Mediterráneo– nunca le abandonó: incluso después de guerrear contra los aztecas, aspiró a luchar en Italia, África y Tierra Santa. Poco después de cumplir los veinte años llegó a algún lugar del Caribe, donde muchos pícaros, reales y ficticios, proscritos o fracasados sociales o económicos buscaban su fortuna de manera alocada lejos de las restricciones de la metrópoli. Allí pasó más de una docena de años como colono-conquistador en La Española o en Cuba, a lo que siguió una década de exploración y conquista en Mesoamérica.

Entonces Cortés regresó a España y, en 1529, poco después de reunirse con el rey en Toledo, conoció a Francisco Pizarro, que se encontraba allí tratando de obtener una licencia real para invadir Perú. La madre de Cortés era una Pizarro, y éste era, por lo tanto, pariente lejano de los hermanos Pizarro –Francisco, Gonzalo, Hernando y Juan–, todos los cuales participaron en la invasión española del imperio inca. Igual que Cortés, los Pizarro eran de Extremadura, concretamente de la ciudad de Trujillo. Su padre era un miembro de la baja nobleza y veterano de las guerras en Italia. Francisco era hijo ilegítimo de la hija de un granjero local; nunca fue reconocido, fue analfabeto toda su vida, un consumado jugador y un hombre más de pelear o trabajar con sus manos en el hogar que de gobernar o discutir cuestiones legales (a este respecto, era muy diferente a Cortés, cuyas cartas al rey estaban redactadas con sumo ingenio).

Pizarro realizó una breve visita a Italia. Igual que Cortés, estuvo a punto de hacer allí su carrera, pero también él prefirió «las Indias» a Italia, y zarpó rumbo al Caribe en compañía de su tío. Del mismo modo que Cortés ganó encomiendas en Cuba, otro tanto hizo Pizarro en Panamá. No está claro hasta qué punto estuvo Pizarro unido a sus hermanos durante su infancia, pero éstos se mostraron dispuestos a seguirle después de 1529, incluido Hernando, el mayor y el único hermano legítimo. Ese año, tras dos décadas y media de experiencia de conquista en las Américas, Pizarro añadió una licencia real para invadir Perú.

Las campañas de conquista eran cuestiones de familia. Igual que Pizarro persiguió sus ambiciones en las Américas en compañía de sus hermanos, lo mismo hizo Pedro de Alvarado. También natural de Extremadura (de la ciudad de Badajoz), Alvarado llegó a La Española en 1510 con sus cinco hermanos y uno de sus tíos; posteriormente invadiría Guatemala con tres de sus hermanos y tres primos. Pedro participó en la conquista de Cuba y fue miembro de la expedición que en 1518 exploró la costa de Yucatán y México. También desempeñó un papel fundamental en la estrategia bélica de Cortés contra los aztecas; si Cortés hubiera muerto durante esa guerra, probablemente Alvarado hubiera asumido el mando de la campaña, tal como hizo en 1520, cuando quedó a cargo de las fuerzas españolas y tlaxcaltecas en Tenochtitlan mientras Cortés se encontraba temporalmente fuera de la ciudad. Su fama de impetuoso surgió por su gobierno durante aquellas semanas. Tras atacar a los aztecas durante una fiesta religiosa, rompió la tregua y obligó a españoles y tlaxcaltecas a adoptar una actitud defensiva; el resultado fue la llamada «Noche Triste», en la que murieron cientos de españoles y miles de tlaxcaltecas mientras huían de la ciudad.

El cabello rubio de Alvarado, así como su famoso temperamento, le granjearon el sobrenombre de *Tonatiuh* («Sol»; véase Figura 6). La violencia de su invasión del altiplano guatemalteco en 1524-1526 consolidó aquella reputación. Herido y desilusionado, Pedro abandonó a su hermano Jorge para volver a invadir Guatemala a finales de la década de 1520. Aunque fueron Jorge y sus decenas de miles de aliados nahuas quienes finalmente quebraron la resistencia maya hasta un punto suficiente como para establecer una colonia en las tierras altas, fue Pedro quien recibió el nombramiento como gobernador. Sin embargo, igual que Cortés y la mayoría de los conquistadores, Alvarado contemplaba cada campaña como otro eslabón en una cadena de conquistas. En 1534, tras escuchar noticias sobre el imperio inca, aprovechó los recursos de Guatemala para dirigir una expedición a Perú. Apartado de su objetivo por rivales españoles que habían llegado antes que él, dirigió entonces su atención hacia Honduras; allí fue gobernador de una colonia española pequeña con poco entusiasmo, hasta que fue desplazado por Francisco de Montejo en 1540. Siempre inquieto, al año siguiente dirigió una expedición para sofocar la revuelta del Mixtón, una rebelión indígena en Nueva Galicia (norte de México). Aquella fue su última campaña.

Mientras Pizarro y Alvarado llevaron consigo y combatieron junto a sus hermanos, los tres Franciscos de Montejo que dirigieron campañas en las Américas fueron padre, hijo y sobrino (véase Figura 5). Originarios de Salamanca, participaron de diversas maneras en la larga conquista del Yucatán, aunque fue el mayor de los Montejo quien osten-

Figura 5. Fachada del Palacio Montejo. A menudo, los conquistadores buscaban inmortalizar sus logros mediante la imaginería en sus escudos de armas, en pinturas o en retratos, o bien esculpidas en piedra en las fachadas públicas. Uno de los ejemplos mejor conocidos es el de los dos Francisco de Montejo, padre e hijo. Se esculpieron sus retratos en la puerta principal del complejo palaciego de los Montejo, en la plaza central de Mérida, la capital de la nueva colonia del Yucatán, una construcción de la década de 1540. La pareja de conquistadores aparece representada de pie, pisando unas cabezas cortadas con las bocas abiertas; no está claro si se trata de guerreros bárbaros –o sea, de los mayas sometidos–, o bien de la cabeza de algún rival español que ha sido derrotado. A los lados de estas imágenes hay unas esculturas de los míticos «salvajes» de la Europa medieval, que simbolizan la barbarie supuestamente derrotada por el impacto civilizador que supuso el triunfo de los Montejo.

tó la licencia de adelantado. A finales de la década de 1510 (Montejo tenía entonces unos treinta y cinco años), cruzó a Cuba, y después a México junto a Cortés, antes de regresar a España para asegurarse su licencia. Tras adquirirla en 1526, dedicó entonces una década a intentar establecer colonias en Tabasco, Yucatán y Honduras, con poco éxito en todos los casos. Si al final pudo administrar colonias como gobernador, siempre fue, en mayor o menor medida, gracias a los esfuerzos de otros. En Honduras, desde 1540, gracias en parte a Alvarado; y en Yucatán, a partir de 1546, gracias a la campaña de invasión de la península que comandaron su hijo y su sobrino.

Así pues, como otros muchos conquistadores, el mayor de los Montejo sufrió años de frustrantes luchas, tanto militares como políticas. Pasó más tiempo en España buscando una licencia para conquistar Yucatán del que luego pasó allí como gobernador, y todavía más tiempo en llevar a cabo fracasadas invasiones. Al igual que Jiménez de Quesada, por cada mes en el que pudo disfrutar de un éxito Montejo soportó años de luchas con abogados, cortesanos, incomodidades tropicales e indígenas hostiles. La dependencia que Montejo tuvo de terceras personas –familiares, socios, conquistadores rivales, por no mencionar a los aliados indígenas– también ayudó a que su experiencia pudiera considerarse típica.

Hernando de Soto abandonó España para progresar en las Indias al mismo tiempo que lo hizo Montejo (en 1514), aunque a una edad más habitual para un conquistador primerizo (Soto contaba unos veinte años). Su carrera de casi treinta años de exploración y lucha en las Américas comprendió tres fases. Durante la mayor parte de su carrera participó en campañas de conquista y esfuerzos coloniales en Centroamérica, terminando como encomendero en Nicaragua. Y allí hubiera languidecido, y se habría quedado al margen de la gran oportunidad de aquellos años –la conquista de México–, de no haber sido porque llegaron hasta él noticias acerca de la expedición que Pizarro y Almagro preparaban a Perú. Se unió rápidamente a ellos (1532) y llevó consigo suficientes hombres como para ser nombrado capitán y participar en el gran reparto del botín obtenido tras las capturas de Atahualpa y de las ciudades incas de Cajamarca y Cuzco. Abandonó entonces a tiempo (1534) de evitar una muerte violenta en las campañas de conquista y las guerras civiles que marcaron la historia del Perú durante la siguiente década.

Tras dejar de ser un relativamente oscuro conquistador colono de Centroamérica y convertirse en un famoso y acaudalado conquistador del Perú, Soto regresó a España; celebró un matrimonio muy ventajoso, fue admitido en la Orden de Santiago y fue nombrado gobernador de Cuba, con una licencia de adelantado para Florida. Podía haberse dormido en los laureles en La Habana, pero, en lugar de eso, en 1539 emprendió la tercera y última fase de su carrera dirigiendo una gran expedición de exploración de Norteamérica que dejaría viuda a su esposa y mancharía su reputación en el mundo español, aunque, al final, le proporcionó fama imperecedera.

Soto falleció de una enfermedad desconocida en lo que actualmente es la frontera entre los estados norteamericanos de Louisiana y Arkansas. De una forma u otra, la mayoría de los conquistadores murieron sobre el terreno. Por ejemplo, todos los hermanos Pizarro, salvo uno, sufrieron muerte violenta –Francisco fue asesinado por el hijo de su socio (Diego de Almagro; véase Figura 4), Juan murió durante el asedio de Manco a Cuzco, y Gonzalo fue ejecutado por traidor–. Únicamente Hernando falleció de manera pacífica, como un anciano ciego, en

1578, en las enormes propiedades de la familia a las afueras de Trujillo (España) adquiridas con las riquezas obtenidas en Perú. Pedro de Alvarado, por su parte, pereció en 1541, aplastado por su propio caballo cuando éste cayó al suelo durante una retirada provocada por un ataque de los rebeldes indígenas (véase Figura 6).

Por lo que se refiere a Cortés y su ambición de convertirse en gobernador, quizá virrey, de Nueva España, a su regreso a España fue recibido por Carlos V con amabilidad. No obstante, el rey se mostró sabiamente reacio a nombrar virreyes a los conquistadores. En consecuencia, despachó a Cortés con un título y la tenencia de una enorme encomienda en México (se convirtió en marqués del valle de Oaxaca). En 1547, después de participar en una expedición fallida a Norteamérica, Cortés falleció en Sevilla. Poco después, en 1550, su antiguo compañero de conquistas, Francisco de Montejo, también regresó a España –había sido llamado para que defendiese su actuación como primer gobernador del Yucatán–, y allí murió pocos años más tarde.

Lobos robadores

¿Hasta qué punto fue prototípica la actuación de los cinco conquistadores que hemos descrito? Si nos atenemos a su fama, no lo fue en absoluto. La inmensa mayoría de los conquistadores murió en la oscuridad, y además, las identidades, experiencias e historias vitales de los españoles que participaron en las conquistas de las Américas fueron muy variadas.

Figura 6. Muerte de Pedro de Alvarado, tal como se representa en el *Códice Telleriano-Remensis*. Alvarado sufrió una muerte violenta, como la mayoría de los conquistadores. Además de la glosa en español, un jeroglífico con la forma del sol identifica al conquistador por su apodo náhuatl: *Tonatiuh* ('Sol'). Pintado en México por artistas nahuas en la década de 1550, el *Códice* muestra en Alvarado dos rasgos típicos de las descripciones hechas por los indígenas sobre los conquistadores españoles –ambos más precisos que muchas versiones españolas, especialmente las más tardías–: uno es la barba poblada. Que los españoles tuvieran una densa barba resultó algo muy llamativo para los observadores indígenas; las dificultades para poderse afeitar durante las campañas de conquista hicieron que tuvieran, por lo general, barbas amplias, pese a que, en aquella época, no estuvieran de moda en Europa. El otro rasgo es la vestimenta. Alvarado lleva un jubón típico del siglo xvi, y no la armadura completa con la que los pintores españoles solían representar a los conquistadores.

Sin embargo, en muchos sentidos, estos cinco conquistadores no fueron diferentes a todos los demás «capitanes tiranos», tal como los denominó Las Casas. En la hiperbólica descripción del fraile, todos los conquistadores eran lobos acechando a la oveja indígena. Fuesen «grandes tiranos» (como Las Casas llamó a Alvarado y Pizarro), «infelices hombres» (Montejo) o cualquier otro de los «inhumanos» y «crueles» españoles que los siguieron, todos ellos respondieron a la presencia de las «ovejas mansas» haciéndose «como lobos y tigres y leones». O como Michael de Carvajal escribió en su obra *Querella de los indios en la corte de la muerte,* «estos lobos robadores», «estas gentes y rapiñas».

Podríamos haber incluido un sexto conquistador famoso –o, mejor dicho, abominable conquistador antiheroico– como ejemplo extremo del «lobo robador»: Lope de Aguirre. Hijo de un noble vasco, e inspirado por historias sobre el descubrimiento del imperio inca, viajó a Perú con apenas veinte años, de manera que la vida de Aguirre como conquistador comenzó de una forma bastante habitual.

> Pasé el mar Océano a las partes del Perú –escribiría tiempo después al rey– por valer más con la lanza en la mano, y por cumplir con la deuda que debe todo hombre de bien.

Desde finales de la década de 1530 hasta finales de la de 1550, Aguirre participó en actividades de conquista desde Nicaragua hasta Bolivia, además de combatir en la guerra civil que los españoles libraron en Perú en la década de 1540. En el transcurso de estas aventuras, adquirió una reputación de hombre de excepcional crueldad, torturador y asesino.

Esto debe considerarse un auténtico logro en el contexto del mundo de la conquista, un mundo en el que Pedro de Alvarado cometió con absoluta impunidad atrocidades ampliamente conocidas, en el que la violencia de Jiménez de Quesada no parece tener nada de extraordinaria, en el que Las Casas detallaba la brutalidad de un «capitán tirano» tras otro. Las guerras alimentan a los sociópatas, y si buscásemos ejemplos en el siglo XVI, deberíamos comenzar por Lope de Aguirre. Su canto del cisne tuvo lugar en 1560, cuando, siguiendo la corriente del río Amazonas, sumergió a una expedición en una orgía de violencia que culminó en la toma de posesión de la colonia española de Isla Margarita, donde asesinó a la mayoría de funcionarios o colonos del lugar. Asegurando que «me quisieron matar», explicó que «yo los ahorqué a todos». Fue capturado en Barquisimeto en 1561, ejecutado como traidor y los trozos de su cuerpo desmembrado fueron distribuidos por toda la colonia de Venezuela.

Resulta sencillo descartar a Aguirre por ser un caso demasiado extremo como para servir de ejemplo. Sin duda, casi todas sus acciones en su último año –desde el asesinato de su propia hija hasta escribir al rey justificando su traición y firmar la carta «Rebelde hasta la muerte por tu ingratitud»– parecen confirmar su apodo de «El Loco». Sin embargo, fue un caso extremo dentro del mismo espectro de orígenes, experiencias y acciones de otros conquistadores.

Aguirre no fue el único conquistador que se granjeó una mala fama. Nuño de Guzmán fue denunciado por Las Casas como el más «insensible y malvado» de los conquistadores españoles, y los historiadores modernos lo describen como «gángster de nacimiento» (J. H. Parry), «ambicioso, despiadado» (Ida Altman) o «personificación de la Leyenda Negra» (Donald Chipman). Sin embargo, como gobernador de una provincia mexicana y primer presidente de la «Audiencia», o Corte Suprema, de Nueva España, disfrutó de cargos que estaban fuera del alcance de Aguirre. Lope de Aguirre tampoco fue el único español que masacró a los pueblos indígenas, asesinó a compatriotas rivales, se rebeló contra la Corona, naufragó en las aguas políticas de la América colonial primitiva y murió de forma ignominiosa.

Incluso la última carta de Aguirre al rey, aparentemente fruto de la locura, contiene muchas de las características del típico informe de probanza. En ella encontramos el lenguaje con las fórmulas habituales acerca del servicio y el sacrificio, de las «conquistas de indios» y el «poblar pueblos en tu servicio», de «seguir la voz» del rey para defender sus dominios contra los rebeldes y la verdadera fe contra los luteranos. El hecho de que Aguirre cruce la línea, insulte al rey y se declare en rebeldía resulta sorprendente porque es poco frecuente –además de ser algo desquiciado, porque traiciona todo el propósito del género–. Pero la breve autobiografía de servicio, sus protestas contra los malos funcionarios locales, su insistencia acerca de sus heridas de guerra, el trasfondo de amargura con que lo hace, todo son convenciones estandarizadas de la retórica de los conquistadores.

Así pues, retórica y casos (tristemente) famosos aparte, está claro que los conquistadores procedían de entornos similares y tenían objetivos similares en las Américas, donde respondieron a las condiciones de conquista de maneras similares y disfrutaron o sufrieron asimismo similares carreras. Por lo tanto, los patrones de las biografías de conquistadores revelan una serie de características representativas. A partir de éstas, podemos reconstruir un conquistador-tipo, uno que recuerde en algunos aspectos a la ínfima minoría de aquellos cuyos nombres se convirtieron en leyenda.

Este tipo sería un joven que no llegaba a los treinta años, semianalfabeto, originario del suroeste de España, formado en un negocio o profesión concreta, que buscaba su oportunidad a través de las redes de patronazgo basadas en los vínculos familiares y locales. Provisto también de las armas que se pudiese permitir, y ya con cierta experiencia de exploración y conquista en las Américas, estaría dispuesto a invertir lo que tenía y a poner en juego su vida –si fuese absolutamente necesario– con tal de convertirse en miembro de la primera compañía que conquistase un lugar rico y bien poblado.

Nuestro conquistador tipo no era un soldado de los ejércitos del rey de España. Aunque a menudo se hace referencia a los conquistadores como soldados –y, sin duda, iban armados, estaban organizados y tenían experiencia en cuestiones militares–, adquirieron sus habilidades marciales en situaciones de conflicto en las Américas, no mediante un entrenamiento formal. Los miembros de las expediciones solían ser reclutados en las colonias recién fundadas; la inexperiencia acerca del Nuevo Mundo que Jiménez de Quesada y otros trajeron desde las islas Canarias en 1536 fue atípica, pues la mayoría de los que se embarcaban en una expedición de conquista ya tenían cierta experiencia en las Américas. Entre los españoles que participaron en la famosa captura de Atahualpa en Cajamarca, al menos dos tercios de ellos ya tenían experiencia previa en la conquista, y más de la mitad pasó al menos cinco años en las Américas. Pero ninguno de ellos había recibido entrenamiento militar formal.

La carencia de instrucción formal fue paralela a la ausencia de una organización jerárquica formal. En aquella época, las fuerzas españolas en Europa estaban dirigidas por comandantes de la alta nobleza y organizadas en diferentes rangos. En contraste, los grupos de conquistadores estaban dirigidos por capitanes, la única graduación existente, y que variaba en número. El registro del reparto del botín de Cajamarca enumeraba a los hombres únicamente en dos categorías: «gente de a caballo» y «gente de a pie». Un hombre podía pasar de una categoría a otra comprando un caballo (o perdiéndolo).

Puesto que los conquistadores no eran soldados de un ejército al uso, su vestimenta, armadura y armamento eran individuales. Al carecer de un uniforme oficial, los miembros de cada compañía vestían de acuerdo con su ocupación, posición social y recursos, con los lógicos ajustes que tenían lugar durante una expedición. Sin embargo, había una vestimenta básica común a todos ellos, que consistía en unas polainas, una blusa y un manto sin adornos. Los más pudientes vestían una prenda exterior como un jubón o una chaqueta, con adornos de seda o piel cuando era posible (véase Figura 6). Por lo general, estas prendas tenían botones hasta el cuello, con cinturas ajustadas y faldones cortos; a lo largo del siglo xvi los estilos cambiaron y evolucionaron (el jubón, por ejemplo, acabó convirtiéndose en la chaqueta moderna). Los españoles sustituyeron o alteraron rápidamente su vestimenta europea durante las campañas de conquista debido a dos necesidades diferentes: la vestimenta de España era escasa y cara, y el clima americano requería una adaptación si se quería sobrevivir. La lana y el lino dieron paso al algodón; los pesados jubones, al *xicolli* y al *tilmatli,* la chaqueta corta y la capa rectangular que llevaban los aztecas y otros pueblos del centro de México (o los ponchos de algodón de los andinos); los zapatos y las botas fueron sustituidos por sandalias.

Las pinturas y biombos sobre la conquista que se popularizaron en el México del siglo xvii suelen mostrar compañías completas de conquistadores con toda la armadura y el casco. Pero estas pinturas están repletas de anacronismos y detalles inventados, siendo uno de ellos la inclusión de la armadura. Los dibujos más antiguos y las pruebas textuales sugieren que los españoles rara vez llevaban armadura, que estas se limitaban a pectorales de hierro y que formaban parte de la impedimenta para ser utilizadas únicamente durante la batalla. A partir de la década de 1520, los españoles de Mesoamérica adoptaron el *ichcahuipilli* de los aztecas. Este chaleco acolchado de algodón estaba diseñado para proteger el torso de las armas de obsidiana empleadas por los indígenas mesoamericanos, y era más apropiado para el clima americano y más fácil de obtener que la armadura de hierro. Desde España se llevaron escudos redondos de hierro, pero fueron menos comunes que los de madera y cuero, que podían fabricarse con mayor facilidad en las Américas, o bien eran sustituidos por escudos indígenas. De igual modo, los cascos de hierro eran menos comunes que las gorras de plato, los gorros o sencillos tocados de guerra. El elegante casco con cresta llamado «morrión», que suele aparecer en las cabezas de Cortés y de otros conquistadores en pinturas tardías, no se generalizó en Europa hasta la década de 1540 y los conquistadores nunca lo llevaron.

El conquistador típico llevaba un sable. Aunque en el siglo xvi los espaderos de Toledo perfeccionaron los estoques y otras armas más ligeras, finas y afiladas –pero conservando su fortaleza–, los españoles que combatieron contra guerreros indígenas en las décadas de 1520 y 1530 empuñaron por lo general armas de unos 90 cm con punta roma. Algunos llevaban sables de hasta 1,80 m de longitud que había que blandir con las dos manos y podían tener un efecto devastador contra una masa de guerreros indígenas. Los relatos españoles describen con frecuencia largas batallas en las que las fuerzas indígenas sufren enormes bajas mientras infligen sólo heridas a los invasores. Dejando de lado las posibles exageraciones, estas consecuencias eran posibles debido a la diferencia en longitud y durabilidad existente entre las espadas de acero de los españoles y el armamento indígena fabricado con madera y obsidiana.

Un arma menos prestigiosa e importante –pero bastante significativa– que llevaron los conquistadores fue la lanza de casi 4 metros de longitud. Podía utilizarse también como una pica y se podía fabricar sobre el terreno, utilizando puntas de hierro recicladas. Hay pruebas de que en casi todas las expediciones los guerreros indígenas que acompañaban a los españoles como aliados aprendieron muy pronto a fabricar y utilizar estas lanzas. No obstante, fueron menos útiles que en Europa, porque los enemigos indígenas no tenían caballería.

En cuanto a la ballesta europea, tuvo por lo general una alta eficacia y resultaba relativamente fácil repararla en las Américas. Sin embargo, su empleo quedó limitado a pequeñas unidades de ballesteros, las cuales en numerosas ocasiones eran superadas en número por los expertos arqueros de los aliados indígenas.

¿Llevaba este conquistador típico algún arma de fuego? Probablemente no. La llave de mecha apareció por primera vez en las Américas a los pocos años del primer viaje de Colón a través del Atlántico, apenas una década después de su invención, y los relatos del periodo colonial informan de su enorme impacto sobre los guerreros indígenas. Pero la llave de mecha de la era de los conquistadores era un arma tosca, poco fiable y poco adecuada para los trópicos. Conocida como «arcabuz» o «escopeta», esta arma de cañón largo necesitaba pólvora seca, erraba el disparo a menudo y se tardaba en recargar más tiempo del que necesitaba un arquero azteca, maya o inca para lanzar docenas de flechas. Una vez más, las ilustraciones de época posterior nos confunden, pues nos suelen mostrar a los conquistadores con mosquete, un arma de fuego con llave de mecha más útil, pero que no se inventó hasta la década de 1550. La mayor virtud del arcabuz en las guerras de conquista fue su impacto psicológico, un arma de exhibición que podía desplegarse de manera selectiva para impresionar y aterrorizar al enemigo.

Esto fue también cierto –pero a una escala mayor y bastante más drástica– en el caso del cañón. Incluso los cañones más pequeños hacían un ruido ensordecedor, escupían fuego y podían alcanzar unos 1.800 metros de distancia. Los españoles contaban que los indígenas se quedaban petrificados ante la aparente capacidad de los cañones para aprovechar el poder del rayo y el trueno. Pero, al igual que ocurría con la llave de mecha, su utilidad en combate fue muy limitada. Tomemos como ejemplo el empleo que Cortés hizo del cañón en su invasión del imperio azteca entre 1519 y 1521.

En el momento de su desembarco en la costa mexicana, contaba con diez lombardas de bronce, pero resultaron demasiado pesadas para ser trasladadas tierra adentro. Consiguió mover los falconetes, más pequeños (7,5 cm de diámetro), pero solo tenía cuatro piezas; además, únicamente podían utilizarse en un ambiente seco y si se disponía del suficiente tiempo para montarlos sobre improvisadas cureñas. Pero todos ellos se perdieron en el lago que rodeaba la capital azteca de Tenochtitlan cuando los españoles y sus aliados se vieron obligados a huir de la ciudad durante la conocida como «Noche Triste». Solo después de una planificación, esfuerzo, tiempo y ayuda indígena considerables, pudo Cortés transportar las lombardas al valle de México para emplearlas en el asedio de Tenochtitlan de 1521.

¿Por qué el conquistador típico cruzaba el Atlántico, y, una vez establecido en las Américas, se unía de nuevo a una compañía para poner otra vez en riesgo su vida? Dicho de una forma sencilla: los conquistadores estaban muy motivados para encontrar la oportunidad que les permitiera mejorar su situación económica y social. Las cartas que Cortés escribió al rey –publicadas en vida del conquistador e impresas a día de hoy en muchos idiomas– nos muestran hasta qué punto los españoles estaban movidos por un sentimiento de lealtad a la Corona y a la Iglesia. Esta imagen del conquistador se construyó en beneficio del rey, que era muy consciente de las ambiciones y motivaciones personales de los conquistadores.

Pero los conquistadores españoles no deberían ser considerados unos individuos sedientos de oro, a pesar de la descripción que, con frecuencia, de ellos se hace y que nos los presentan como una gente enloquecida por una «pestilencia de oro», en palabras de Carvajal. Los conquistadores buscaban oro y plata por razones fundamentalmente prácticas: los metales preciosos eran el único artículo de valor no perecedero y fácil de transportar con el que podían pagar a los comerciantes y acreedores que financiaban las campañas de conquista. En palabras de uno de ellos, Francisco de Jerez, los conquistadores «no han sido pagados ni forzados, sino de su propia voluntad y a su costa han ido».

Gaspar de Marquina, igual que Jerez, siguió a Pizarro al corazón del imperio inca. Marquina escribió a su padre diciéndole que había ido a Perú porque era tierra donde «hay más oro y plata que hierro en Vizcaya, y más ovejas que en Soria, y muy abastecida de otras muchas comidas y mucha ropa muy buena y la mejor gente que se ha visto en todas las Indias, y muchos grandes señores entre ellos». Marquina no era un soldado profesional, sino un paje, un sirviente de alto rango, totalmente alfabetizado, de dos de los primeros gobernadores-conquistadores de las colonias americanas españolas: Pedrarias Dávila, gobernador de Nicaragua, y Francisco Pizarro. Marchó a «las Indias» por propia voluntad, con la esperanza de regresar rico junto a su padre en España y, muy probablemente, poder emprender entonces una carrera como notario o comerciante. Buscó esta oportunidad a través de sus contactos con importantes patronos. Sin embargo, como la mayoría de los españoles que combatieron en las violentas invasiones de comienzos del siglo xvi, murió antes de poder regresar a España; en el caso de Marquina, este cayó en una escaramuza contra los indígenas andinos aproximadamente en la misma época en la que su padre recibiría su carta y la barra de oro que la acompañaba.

Así pues, era la esperanza de adquirir riqueza y consideración social –y no unos pagos concretos– lo que motivaba a los españoles a unirse a estas expediciones de conquista, que se conocían como «compañías». Aunque los poderosos patronos representaban un papel muy importante por sus inversiones, eran los capitanes quienes fundaban las compañías y esperaban cosechar las mayores recompensas. Un espíritu comercial inspiró las expediciones de conquista desde el principio hasta el final, y sus participantes vendían sus servicios y comerciaban entre ellos durante todo el proceso. En otras palabras, los conquistadores eran unos emprendedores armados.

Los miembros de una compañía de conquista que hubiera tenido éxito esperaban ser premiados con una encomienda, pues el acceso a la fuerza de trabajo y a los tributos de los indígenas ofrecía a su poseedor una posición social elevada y, a menudo, un estilo de vida superior al de sus camaradas conquistadores. Puesto que nunca había suficientes encomiendas, las donaciones más lucrativas iban a parar a quienes más habían invertido en la expedición (y habían sobrevivido para contemplar su éxito). Los inversores más modestos recibían donaciones menores –unas pocas docenas, en lugar de miles, de «vasallos» indígenas, por ejemplo– o sencillamente una parte del botín de guerra.

Los conquistadores eran, en su inmensa mayoría, hombres de clase media, con ocupaciones y antecedentes por debajo de la alta nobleza, pero por encima de la masa común. A raíz de la fundación de la ciudad de Panamá en 1519, se pidió a los 98 colonos-conquistadores españoles que se identificasen y especificasen cuáles eran sus profesiones. De ellos, respondieron 75. Sólo dos afirmaron ser soldados profesionales. El 60% se describió como «profesional» o «artesano»», ocupaciones típicas de las clases medias de la sociedad. Un análisis similar de los conquistadores del Reino de Nueva Granada (la actual Colombia) es menos preciso en cuanto a las ocupaciones y probablemente exagera el número de hombres de clase media. No obstante, los datos demuestran claramente que predominaban los hombres con ciertas propiedades, los profesionales y los emprendedores.

Tampoco los españoles de Cajamarca que dieron fe de sus ocupaciones en 1533 eran soldados de carrera, sino profesionales y artesanos que habían adquirido diversa experiencia en combate y habilidades marciales. Un tercio de los que especificaron su profesión eran artesanos (incluidos sastres, herreros, carpinteros, trompeteros, un copero, un espadero, un albañil, un barbero y un flautista que hacía de pregonero). Los mismos tipos de artesanos habían acompañado también a Francisco de Montejo en su primera expedición al Yucatán en 1527, además de los profesionales habituales –comerciantes, médicos, un par de sacerdotes y dos ingenieros de artillería flamencos–. Un número indeterminado de los artesanos y profesionales que se aventuraron en la compañía se sintieron lo suficientemente confiados de su buen final como para traer consigo a sus esposas (aunque, siguiendo la práctica habitual, estas mujeres se quedaron probablemente con los comerciantes españoles en el último puerto del Caribe antes de alcanzar el Yucatán).

También conocemos la edad y lugar de nacimiento de más de 1.200 conquistadores que participaron en las primeras invasiones de Panamá, México, Perú y Colombia. La composición de todas estas expediciones fue similar, con una media de un 30% de andaluces, un 19% de la vecina Extremadura, un 24% de las regiones centrales de Castilla la Nueva y Castilla la Vieja, y el resto procedentes de otras regiones de la península Ibérica. Eran muy escasos los europeos de otras procedencias, limitados a algún que otro portugués, genovés, flamenco o griego. En cuanto a la edad, esta variaba desde los adolescentes hasta algún caso ocasional con más de sesenta años; la edad media de los hombres que fueron a Perú y a Colombia era de veintisiete años, con una gran mayoría de personas entre los veinte años y la primera mitad de la treintena.

En términos de educación, el abanico era, una vez más, muy amplio: iba desde quienes eran absolutamente analfabetos y sin educación hasta algunos casos excepcionales de auténticos eruditos. A pesar de la impresión que dan las crónicas de los conquistadores, en las compañías eran minoría los completamente alfabetizados (aunque la escasez de granjeros entre los conquistadores hizo que las tasas de alfabetización fuesen ligeramente más elevadas que las que se daban en España). Los relatos de testigos oculares –caso de Bernal Díaz y Cortés sobre México, y de Francisco de Jerez sobre Perú– son clásicos en parte porque son escasos. La mayoría de los conquistadores escribía o dictaba informes «de méritos» como si rellenaran un formulario. A pesar de la equivocada opinión, muy generalizada, de que la alfabetización concedía a los españoles una ventaja sobre los indígenas americanos, los miembros de las compañías de conquistadores no podían, probablemente, leer y escribir mejor que la mayoría de sociedades indígenas americanas alfabetizadas, como los mayas.

La relación entre la clase social y el nivel de alfabetización de los conquistadores tampoco era tan estrecha como podría esperarse. El cronista colonial Juan Rodríguez Freyle, natural de Bogotá, aseguraba que algunos miembros de los consejos ciudadanos de los asentamientos de Nueva Granada utilizaban hierros de marcar para firmar documentos. Entre los diez líderes que llevaron a cabo la famosa invasión de Perú de 1532-1534, incluidos los hermanos Pizarro, cuatro sabían leer y escribir, tres eran semianalfabetos (podían firmar escribiendo sus nombres) y tres eran analfabetos (incluido Francisco Pizarro).

Ser un conquistador no era precisamente adecuado para tener una buena salud mental. Viendo los terribles riesgos que pasaban y, por lo general, las decepcionantes recompensas que obtenían, parece disparatado considerarla una primera opción. Los sufrimientos, tensiones y horrores de las campañas volvieron literalmente locos a algunos participantes. Durante la expedición que le llevó siguiendo el curso del Amazonas en 1569, Lope de Aguirre asesinó a la mayoría de sus compañeros durante arrebatos de paranoia, y acabó proclamándose papa y emperador. Tanto Colón como Cortés –ninguno de los cuales exhibió una prueba convincente de sus sentimientos religiosos al inicio de sus carreras, salvo a un nivel puramente retórico– «encontraron a Dios» como resultado de sus privaciones y amarguras. Colón sufrió una serie de turbadoras visiones en las que aseguraba haber conversado con Dios, y tuvo experiencias de éxtasis casi mesiánicos. Cortés se veía a sí mismo como un nuevo apóstol que restauraría la pureza de la Iglesia primitiva en una suerte de relanzamiento del cristianismo en América. La falta de naturalidad de los gestos religiosos pudo impresionar, como mínimo, a algunos indígenas. Cabeza de Vaca –que naufragó en la costa de Texas en 1528 y fue esclavizado por los indígenas– se forjó una reputación como hombre santo y –según su propio testimonio– como sanador dotado de poderes milagrosos. Cientos de devotos indígenas se congregaron junto a él cuando, después de ocho años de vida errante, emprendió por fin su viaje de regreso a Nueva España.

La ampliación de la categoría de «conquistador»

Los españoles no fueron los únicos que combatieron en las compañías de invasión. La categoría de los conquistadores se ha limitado por lo general a sus miembros más obvios: los descritos anteriormente. Pero para comprender completamente cómo se prudujeron las conquistas españolas en las Américas, debemos ampliar la categoría de «conquistador» e incluir en ella a cualquiera que combatiera junto a los españoles, aceptando y perpetuando, en una medida u otra, la cultura del conquistador, su carácter distintivo y sus metas. Esto significaba participar en las campañas militares, que buscaban el sometimiento violento de las comunidades indígenas y la adquisición de metales preciosos, todo con la idea de establecerse permanentemente en las tierras conquistadas, forjar provincias cristianas en el imperio español y solicitar que la Corona les concediese recompensas y privilegios oficiales a cambio de los servicios prestados durante la conquista. Así definida, la categoría del conquistador incluía tres grupos adicionales, que analizaremos ahora en orden de su importancia numérica: mujeres españolas conquistadoras (muy escasas), conquistadores negros (un número muy significativo) y conquistadores indígenas (muy numerosos, muy superiores en número a los conquistadores españoles y negros).

De los miles de españoles que entraron en México en los primeros años posteriores a la llegada de Cortés en 1519, diecinueve eran mujeres cuya participación en la invasión justifica que las llamemos «conquistadoras», y hay pruebas de que al menos cinco de ellas llegaron a intervenir en combates. Un trío de conquistadoras en Sudamérica alcanzó cierta fama que ha perdurado: Inés Suárez viajó a Venezuela y Perú en busca de su esposo, y cuando descubrió que había muerto, se unió a la compañía de Pedro de Valdivia formada para la conquista de Chile; allí se convirtió en amante del capitán, combatió contra los araucanos, ayudó a defender Santiago en 1541 y fue recompensada con una encomienda en 1545. Hoy en día todavía se la recuerda en Chile. En la década de 1550, doña Isabel de Guevara acompañó a su marido en una campaña para conquistar y colonizar el Río de la Plata, dentro de la expedición de Mendoza. Posteriormente realizó una petición a la Corona en la que detallaba sus sacrificios y solicitaba una encomienda (tal como haría cualquier conquistador). Por último, en su autobiografía, en la que narra sus años disfrazada de hombre en el Perú español, Catalina de Erauso nos cuenta las muchas batallas que libró contra guerreros indígenas en los territorios de los actuales Chile y Bolivia.

Los detalles de estos ejemplos demuestran que se trata de excepciones que confirman la regla: son casos relativamente tardíos, ninguno de ellos durante la primera oleada de invasiones; tuvieron lugar fuera de las áreas nucleares de conquista y colonización, y todas las mujeres en cuestión se comportaron como hombres, conforme al modelo del conquistador masculino. La regla era que los conquistadores no sólo fueran hombres, sino que pertenecieran a un estereotipo propio del siglo xvi: el de un hombre audaz y temerario, capaz de ejercer la violencia y la crueldad en la búsqueda de conquistas de todo tipo. La acción más famosa de Inés Suárez fue la decapitación de siete señores indígenas que habían sido tomados como rehenes durante el asedio de Santiago. Este era el procedimiento clásico de los conquistadores, y fue considerado una y otra vez una medida valiente (y necesariamente brutal) cuando había que tomar decisiones. La ciudad de Santiago recibió su nombre porque se suponía que el propio santo había bajado del cielo montado en su caballo blanco para salvar la jornada. En relatos tardíos, Suárez cabalga sobre un caballo blanco, a la manera de Santiago, para espolear a los españoles.

De manera similar, Isabel de Guevara escribió a la «Princesa Doña Juana, Gobernadora de los Reinos de España», contándole que, cuando fracasó la compañía de La Plata, las mujeres tuvieron que actuar tanto de mujeres como de hombres, transportando a los hombres enfermos sobre sus hombros «con tanto amor como si fueran sus propios hijos», pero también «animándolos con palabras varoniles». Al hacer esto, las mujeres se transformaron en superconquistadores:

> Vinieron los hombres en tanta flaqueza que todos los trabajos cargaban de las pobres mujeres, ansí en lavarles las ropas como en curarles, hacerles de comer lo poco que tenían, a limpiarlos, hacer centinela, rondar los fuegos, armar las ballestas cuando algunas veces los indios les venían a dar guerra, hasta acometer a poner fuego en los versos y a levantar los soldados, los que estaban para ello, dar al arma por el campo a voces, sargenteando y poniendo en orden los soldados. Porque en este tiempo, como las mujeres nos sustentamos con poca comida, no habíamos caído en tanta flaqueza como los hombres.

Para pasar como un conquistador, Catalina de Erauso tuvo que representar el estereotipo de conquistador hasta un punto en que llegó a parodiarlo: el conquistador por excelencia. Allá donde iba, Erauso se veía envuelta (o envuelto, porque Erauso siempre iba disfrazada como hombre) en problemas; juegos de naipes y conversaciones intrascendentes solían convertirse en duelos y peleas callejeras, y a medida que aumenta el recuento de víctimas, las frases de conclusión de Erauso «y que cayó» o «y allí cayó muerto» se convierten en un recurso de humor negro para arrancar una sonrisa al lector. Aunque no siempre está claro si otras mujeres descubrieron el disfraz de Erauso, sus encuentros con estas –encuentros alegres, faltos de compromiso, vagamente despectivos– tienden a confirmar la identidad de Erauso como un conquistador masculino. Por último, en su autobiografía, los guerreros indígenas rara vez adquieren identidades individuales. Al igual que ocurre con los desafortunados defensores de sus hogares en los relatos de Cortés, Díaz, Alvarado y Las Casas, Erauso narra cómo los indígenas son masacrados con una bravuconada brutal y despectiva:

> Habíanse entre tanto los indios vuelto al lugar, en número de más de diez mil. Volvimos a ellos con tal coraje e hicimos tal estrago, que corría por la plaza abajo un arroyo de sangre como un río, y fuimos siguiéndolos y matándolos hasta pasar el río Dorado.

Estas pocas conquistadoras cuyas vidas podemos reconstruir con cierto detalle no representan a un gran número de otras mujeres todavía ausentes de la Historia. Las conquistadoras siempre fueron relativamente escasas.

Por contraste, el puñado de conquistadores negros cuyas biografías han sido reconstruidas nos muestra a una gran cantidad de africanos cuyos papeles tienden a ser desdeñados e ignorados por los historiadores. Los hechos de hombres como Juan Valiente, Juan Garrido y Sebastián Toral –que combatieron en las campañas de conquistas españolas y se convirtieron, a pesar de su condición de negros, en conquistadores colonos– sólo se conocen ahora. Desde el primer momento, en la década de 1490, los españoles llevaron consigo esclavos y sirvientes africanos. Su número fue aumentando desde menos de una docena en cada compañía de conquista hasta muchos cientos por expedición a partir de 1521. Aunque los conquistadores negros fueron, por lo general, ignorados en las historias españolas de la conquista, no sólo estuvieron en todas partes, sino que fueron muy estimados como feroces combatientes.

Uno de los conquistadores negros que luchó contra los aztecas y sobrevivió a la destrucción de su imperio fue Juan Garrido. Nacido en África, Garrido vivió de joven como esclavo en Portugal, antes de ser vendido a un español y adquirir su libertad luchando en la conquista de Puerto Rico, Cuba y otras islas. Combatió a los aztecas como sirviente o auxiliar libre, participando en expediciones españolas a otras partes de México (incluyendo la Baja California) en las décadas de 1520 y 1530. Como recompensa por sus servicios, se le concedió un terreno con casa en la nueva Ciudad de México, donde formó una familia, trabajando en ocasiones como guardia y pregonero público, ambas ocupaciones habituales para los conquistadores negros que se convertían en colonos. En su probanza al rey, Garrido afirmaba haber sido la primera persona en plantar trigo en México.

Otro conquistador nacido en África fue Sebastián Toral. Había llegado al Yucatán con menos de veinte años como esclavo propiedad de uno de los conquistadores españoles de la fracasada campaña de comienzos de la década de 1530; regresó al Yucatán en 1540, probablemente ya libre, junto a los españoles que intentaron sojuzgar por tercera vez a los mayas de la península. Una vez se fundó la colonia a comienzos de los años cuarenta, Toral trabajó como guardia, vivió entre los nuevos colonos del Yucatán como un cristiano hispanohablante y fundó una familia. Cuando se aprobó una ley que ordenaba pagar un impuesto a todos los descendientes de africanos que viviesen en las colonias españolas, Toral escribió al rey protestando. Al no obtener respuesta, se embarcó rumbo a España. Allí obtuvo una orden de exención, después de lo cual navegó de regreso a México, donde se le concedió un permiso local para llevar armas. Probablemente murió en Yucatán en la década de 1580.

Garrido y Toral constituyen buenos ejemplos de conquistadores negros por varias razones. En primer lugar –como observó la legendaria corresponsal de guerra Martha Gellhorn–, «la guerra le ocurre a las personas, una a una». No podemos comprender la experiencia del conquistador sin identificar individuos concretos y cómo vivieron sus experiencias personales en aquellas guerras de conquista. Esto es igual de cierto para los conquistadores negros y para los españoles, y Garrido y Toral se encuentran entre aquellos pocos cuyas vidas pueden ser parcialmente reconstruidas. En segundo lugar, se comportaron como conquistadores, luchando contra los mayas y los aztecas, estableciéndose en las nuevas ciudades coloniales y solicitando reconocimientos al rey. En tercer lugar, siguieron siendo «negros» en términos de sus ocupaciones y de su situación social subordinada dentro de las nuevas colonias, ligeramente por encima de los pueblos indígenas que habían ayudado a conquistar, pero nunca igual a los españoles que los habían tenido esclavizados tiempo atrás. Sin embargo, Garrido y Toral habían sobrevivido, y eso les convierte en malos ejemplos: la mayoría de los conquistadores negros no vivieron lo suficiente para disfrutar de la libertad, de una familia y de la inmortalidad que otorga un lugar en la memoria escrita.

Por último, pero no por ello de menor importancia, poco después de la primera oleada de conquistas, el título de «conquistador» resultó adecuado para mayas, zapotecas y otras élites indígenas que se habían aliado con los invasores españoles y que obtuvieron ciertos privilegios en el nuevo sistema colonial. Su papel fue crucial, pues sin los muchos miles de soldados indígenas que combatieron como «indios amigos», los conquistadores españoles no habrían vivido para fundar colonias en las Américas. Podemos contemplar a los conquistadores indígenas de acuerdo con dos categorías: aquellos que se aliaron con los invasores dentro de sus propias tierras para conservar cierto grado de autonomía y poder local, y aquellos que recorrieron largas distancias para luchar contra otros grupos indígenas y establecerse entre ellos.

Uno de los ejemplos más característicos de la primera categoría –especialmente en términos de la apropiación del término «conquistador»– procede del Yucatán. En vista de la tercera invasión española, los dirigentes Pech –la dinastía real que gobernaba el extremo noroccidental de la península– decidieron adoptar una estrategia de apaciguamiento y permitieron que los españoles y sus aliados nahuas se asentasen en la ciudad de Tihó, que, en consecuencia, fue «fundada» en 1542 como la nueva ciudad de Mérida. Los señores Pech fueron bautizados, adoptando nombres de sus patronos españoles –surgieron entonces nombres híbridos como «don Francisco de Montejo Pech»–, y fueron confirmados como nobles y gobernantes de las ciudades circundantes, participando incluso en campañas contra los mayas en otras regiones de la península; todo ello hizo que se identificaran por escrito como conquistadores, y así, como ejemplo, en los relatos en lengua maya sobre las guerras de conquista, tanto Nakuk Pech como Macan Pech se referían a sí mismos como *yas hidalgos concixtador en,* combinando palabras mayas con los términos españoles «noble» y «conquistador», lo que podríamos traducir como: 'Yo, el primero de los nobles conquistadores'.

Uno de los mejores ejemplos de conquistadores indígenas de la segunda categoría –es decir, aquellos que conquistaron y se asentaron fuera de su propio territorio– es el de los nahuas, o indígenas de lengua náhuatl del centro de México. Tlaxcala fue (y sigue siendo) una importante ciudad nahua, cuyos habitantes, los tlaxcaltecas, se hicieron famosos por haber resistido primero la dominación azteca y, posteriormente, la española. Más tarde establecieron una alianza con los invasores españoles para ayudarles a destruir el imperio azteca, lo que les llevó, irónicamente, a convertirse en miembros fundamentales de las campañas que nahuas y españoles llevaron a cabo para conquistar y ampliar el antiguo imperio dándole un nuevo aspecto (véase Figura 7).

La alianza entre españoles y tlaxcaltecas adquirió la forma de una alianza matrimonial entre la familia Alvarado y la dinastía real de Xicotencatl; Pedro de Alvarado

Figura 7. Conquistadores tlaxcaltecas. Esta escena del relato pictórico de la conquista denominado *Lienzo de Tlaxcala* muestra a guerreros tlaxcaltecas combatiendo en la campaña de 1522 en Michoacán, México occidental. El líder de la expedición, Nuño de Guzmán, es representado junto a otro español y un mastín, acompañado de cuatro tlaxcaltecas con el penacho de combate y esgrimiendo espadas de obsidiana. La carga no la dirige Guzmán, sino el capitán tlaxcalteca. Los enemigos purépecha aparecen haciendo frente a los invasores, pero su vestimenta de guerra es menos impresionante que la de los tlaxcaltecas; además de los tres guerreros que aparecen en un extremo de la imagen, aparecen otros purépechas ahorcados y descuartizados.

se casó con la princesa tlaxcalteca doña Luisa Xicotencatl, con quien tuvo dos hijos; y Jorge de Alvarado contrajo matrimonio con la hermana de Luisa, doña Lucía. Los Alvarado llevaron a sus campañas en Guatemala a sus esposas y a miles de guerreros tlaxcaltecas, además de otros acompañantes. Bernal Díaz señalaba:

> Cuando Jorge de Alvarado vino trajo de camino consigo sobre doscientos indios de Tlaxcala, y de Cholula, y mexicanos, y de Guacachula [Quauhquechollan], y de otras provincias, y le ayudaron en las guerras.

Los guerreros nahuas procedían también de Xochimilco, Texcoco y otras ciudades del centro de México. También estaban representados otros grupos étnicos, como los mixtecas y zapotecas de Oaxaca.

¿Por qué los nahuas y otros pueblos mesoamericanos se aliaron con los españoles en estas campañas? En primer lugar, la identidad mesoamericana estaba demasiado atomizada; era muy «micropatriótica». Aunque los aztecas, los tlaxcaltecas, los quauhquecholtecas, los k'iche', los kaqchikel y los pipil tenían, sin duda, mucho en común, estas similitudes y experiencias históricas compartidas no fueron suficientes para crear una sensación de identidad colectiva. De hecho, no solían darse alianzas indígenas que traspasaran las barreras idiomáticas. Los líderes españoles aprendieron esto ya en la década de 1520, y pudieron comprobar de esta manera cómo sus aliados nahuas posibilitaron las conquistas, desde la caída del imperio azteca hasta las invasiones de Oaxaca, Yucatán y Guatemala.

En segundo lugar, las ciudades-estado mesoamericanas habían aprendido bajo el imperio azteca, y durante la guerra que este mantuvo con los españoles, que aliarse con estos últimos preservaba su estatus, a pesar de la pérdida de cierta autonomía como miembro menos poderoso de la alianza; también les proporcionaba la protección de la nueva potencia en expansión, y la oportunidad de progresar sumándose a las nuevas expediciones militares. Tal como señalaba un veterano conquistador español,

> algunos indios de México y la provincia de Tlaxcala y sus comarcas habían venido de su voluntad a ayudar a descubrir y poblar la provincia de Guatemala y se quedaron en ella.

En una carta al rey de 1563, los gobernantes nahuas de Xochimilco, en el valle de México, insistían en que «no hicimos guerra ni resistencia al Marqués del Valle [Cortés] y ejército cristiano». Eran, por propia voluntad, aliados de España en las guerras contra el imperio azteca y los mayas de Guatemala, y afirmaban haber «servido a Su Majestad en la conquista de Honduras y Guatemala con el adelantado Alvarado, nuestro encomendero», y que sus 2.500 guerreros y las provisiones «y otras cosas necesarias» llevaron directamente a que los españoles pudieran ganar territorios

> y poner[los] bajo la corona real, porque los españoles eran pocos y mal aprovisionados e iban por tierras donde no hubieran sabido el camino si no se lo hubiésemos mostrado; mil veces los salvamos de la muerte.

Los conquistadores buscaron encomiendas para asentarse y beneficiarse de los tributos y la mano de obra de los indígenas después de la guerra, pero también explotaron los privilegios de dichas encomiendas con el propósito de llevar las guerras de conquista a cualquier otro lugar. Así, los señores de la ciudad nahua de Quauhquechollan –que formaba parte de la encomienda concedida a Jorge de Alvarado– fueron obligados a enviar guerreros a la expedición organizada por este en 1527, pero negociaron un acuerdo que les garantizaba diversos privilegios, protecciones y exenciones a cambio de un mayor número de hombres de personal. En 1535, los señores de la ciudad escribieron al virrey español en Ciudad de México, afirmando que ellos eran

> caciques señores y principales del pueblo de Guacachula [Quauhquechollan], descendientes de los príncipes y señores de esa tierra y que en compañía de los demás caciques ayudaron a los españoles a conquistar y pacificar mucha parte de ella con arcos y flechas resistiendo terribles guerras entre los bárbaros e infieles, a costa de muchísimos trabajos, poniendo en riesgo y en peligro sus vidas.

Su papel en las guerras convirtió a los tlaxcaltecas y los nahuas en conquistadores, y los privilegios que reclamaban reflejaban sus expectativas de que podrían actuar y colonizar como tales. Sin embargo, en las colonias hispano-nahuas del norte de México, el Yucatán y Guatemala se eliminaron más tarde privilegios tales como la exención del pago de impuestos o la realización de trabajos manuales. En el transcurso de una generación desde la invasión, los españoles olvidaron convenientemente lo indispensables que habían sido sus aliados nahuas y comenzaron a verlos como un grupo «indio» más; perdieron su condición de socios y colonos, y pasaron a ser unos meros súbditos indígenas del nuevo imperio.

Esta traición desembocó en una profunda decepción dentro de las colonias nahuas, que se expresó de forma dramática en las cientos de peticiones enviadas al virrey y al rey a finales del siglo XVI. En una de esas cartas, escrita en Guatemala en 1547, los veteranos tlaxcaltecas y aztecas se quejaban de los

> hartos y excesivos trabajos de hambre y sed y pestilencia, y muy malos tratamientos de nuestros capitanes españoles y sus secuaces, haciéndonos muchas fuerzas y violencias, ahorcando y matando de nuestra gente a muchos, y viniendo con ellos ya de paz y en su favor y ayuda haciéndonos tributar esclavos de guerra y de paz que fueron más de cuatrocientos, sin otros tantos que de ellos no hay memoria, y tributando de gallinas, maíz, ají, sal, alpargatas, que en lugar de tratarnos por hijos y tenernos por libres, nos hacían esclavos y tributarios suyos.

Según consideraban estos nahuas, se les habían prometido «repartimientos de indios» –es decir, tener sus propios tributarios mayas– a cambio de sus servicios, pero, en lugar de eso, ellos mismos fueron divididos y asignados en lotes «como si fueran esclavos» a los españoles. En otras palabras, ellos esperaban ser tratados como españoles, como conquistadores y encomenderos, y sin embargo fueron tratados igual que los mayas conquistados, es decir, como indios. Como amargo epitafio a la incierta vida del conquistador indígena, el peticionario tlaxcalteca escribía:

> Y después de ya asentada la tierra nos relajaron ya algún tanto de los agravios y malos tratamientos, mas no en nuestra libertad, como a siervos y esclavos nos traían.

4. Por un milagro de Dios

La conquista desconcertó a los conquistadores.

Para los españoles de la América del siglo xvi, suponía un auténtico quebradero de cabeza dar con la fórmula que permitiera controlar a tanta gente en una extensión de terreno tan gigantesca.

> ¿Cuándo se vieron en los [tiempos] antiguos ni modernos tan grandes empresas de tan poca gente contra tanta, y por tantos climas de cielo y golfos de mar y distancia de tierra ir a conquistar lo no visto ni sabido?,

preguntaba Francisco de Jerez, el conquistador del Perú, que fue el primero en publicar un relato de la invasión española del imperio inca. Su pregunta era, en parte, retórica jactanciosa, pero también, en parte, una expresión de asombro desconcertado. Lo cierto es que el resultado fue verdaderamente sorprendente, porque España es, en términos estrictamente geográficos, una parte pobre y marginal de Europa (y, en aquel momento, Europa era, en estándares globales, un continente que albergaba una civilización atrasada y relativamente improductiva).

Las conquistas más espectaculares fueron las más sorprendentes. Los estados a los que llamamos imperios azteca e inca eran los que crecían a mayor velocidad en todo el mundo en los primeros años del siglo XVI. Ningún imperio de aquel momento (con la posible excepción de China) podía igualar a aztecas e incas en diversidad medioambiental o densidad de población. Sin embargo, España pareció tragárselos. Cortés estaba perfectamente justificado para afirmar que «los españoles al mayor temor osan, pelear tienen por gloria y vencer por costumbre». La rapidez del proceso parece todavía más reseñable si se compara con el único precedente: la conquista de la primera colonia española en ultramar, las islas Canarias, habitadas por gentes que vivían todavía en la Edad de Hierro. Los canarios sucumbieron gradualmente a los invasores en un periodo que duró casi un siglo y que culminó con la subyugación de la última isla independiente, La Palma, en 1496. Según los cronistas de sus fases más cercanas, incluso a ese ritmo lento, la conquista de las islas agotó los recursos españoles. Sin embargo, al otro lado del inmenso Atlántico, a una distancia mucho mayor, haciendo frente a un número mayor de enemigos, en unas circunstancias mucho más adversas, los conquistadores españoles lograron resultados asombrosos con increíble rapidez.

Por supuesto, otros imperios posteriores alcanzaron éxitos aún más espectaculares que los de España en el

Nuevo Mundo. Los imperios británico y francés del siglo xix fueron mayores y más desperdigados, pero fueron el resultado de avances tecnológicos inconcebibles para los conquistadores de las Américas: fusiles, cañones de acero, transportes a vapor, dispositivos para establecer la longitud, el telégrafo, pastillas de quinina y prendas de vestir para climas tropicales; todos ellos fueron avances de finales del siglo xviii y comienzos del xix, cuando el imperio español estaba en su máximo apogeo. En sentido estricto, el gran imperio terrestre y marítimo mundial español no tuvo paralelo ni precedente. Los otros imperios europeos de la época eran marítimos, concentrados en asuntos navales, mientras que los de los asiáticos –los otomanos, los mogoles de la India, los safávidas de Persia, los Ming y Qing en China, los rusos en Siberia, los uzbekos en Asia central y los Thai en el Sudeste Asiático– fueron imperios con base en tierra firme con poca o ninguna dimensión marítima. El imperio de los españoles cubrió ambos tipos de entorno: travesías por los anchos océanos y administración de enormes extensiones de territorio.

El problema del ascenso español era que abarcaba más que un solo hemisferio. España también tuvo un notable éxito en sus guerras en Europa, África y Asia durante el mismo periodo, conquistando Granada, el sur de Navarra, Portugal, Melilla, Tánger y gran parte de Italia y las Filipinas en los cien años transcurridos desde 1480, a la vez que establecían un dominio naval en el Atlántico, el Pacífico y la mayor parte del Mediterráneo. No fue hasta aproximadamente 1630 cuando comenzó a tomar un derrotero inverso el casi uniforme registro de victorias españolas por tierra y por mar. La paz interna y un peculiar carácter de servicio que unía a la aristocracia con la Corona (mientras la disensión desgarraba la mayoría de reinos occidentales restantes) ayudan a explicar un rendimiento sostenido durante tanto tiempo. Pero las razones de la preponderancia española en el Viejo Mundo son muy diferentes de las de su expansión en el Nuevo, donde pequeños grupos de compañías de conquistadores independientes ampliaron las fronteras con poca o ninguna ayuda de los ejércitos y armadas profesionales que España desplegaba con un efecto tan impresionante en Europa.

Además, aquel «Nuevo Mundo» era realmente nuevo para la experiencia europea. Los españoles se enfrentaron en las Américas a entornos intratables de montañas más altas, bosques más densos, desiertos más anchos, lluvias más torrenciales y enfermedades más mortales que cualquiera que conociesen. Cientos de miles de personas a los que ellos consideraban temibles salvajes poblaban y defendían aquellas tierras hostiles; en muchas zonas, los recién llegados se aterrorizaron con lo que les parecieron canibalismo y sacrificios humanos. Los conquistadores estaban a miles de kilómetros del hogar, y por lo general actuaban sin esperar ayuda de sus compatriotas; de hecho, puesto que las conquistas eran empresas privadas, los conquistadores competían a menudo entre ellos, y no pocas veces lucharon entre sí.

Así pues, ¿cómo pudieron tener éxito al enfrentarse a todas estas cosas extrañas? ¿Cómo explicaron los propios españoles su éxito?

Fortaleza interior

En la Nueva España y el Perú del siglo xvi, los colonos que echaban la vista atrás para explicar las conquistas de los imperios azteca e inca lo hacían, hablando en términos generales, de dos formas. Algunos de los relatos que se han conservado –escritos especialmente por sacerdotes– veían los triunfos españoles como fruto de la Providencia a fin de procurar la conversión de los pueblos indígenas y, quizá, para preparar el fin del mundo. Gaspar de Marquina, que escribió en 1533 en Cajamarca acerca de la captura de Atahualpa, explicaba que a

> dicho señor le prendimos por milagro de Dios, que nuestras fuerzas no bastaran prenderle ni hacer lo que hicimos, sino que Dios milagrosamente nos quiso dar victoria contra él y de su fuerza.

Las dificultades de las conquistas y sus deslumbrantes recompensas se explicaban en términos divinos, como una especie de milagro señalado por acompañantes milagrosos; así se explican las apariciones en el campo de batalla de la Virgen María y de Santiago, el santo patrón de España. La conquista era algo providencial; Dios la había ordenado, utilizando a los españoles como sus agentes para llevar la verdadera fe y los beneficios de la civilización a los bárbaros paganos del Nuevo Mundo. Como resultado, a ojos de los españoles, había algo milagroso en los triunfos sobre grandes imperios como los de los aztecas o los incas.

Junto a esta explicación providencial que asignaba el papel fundamental a Dios y otro más humilde a los propios conquistadores –*non nobis, Domine, sed nomini tuo sit Gloria* ('No para nosotros, Señor, sino para tu nombre sea la gloria')–, hubo otra que, aunque contradictoria, fue adoptada por algunas de esas mismas personas. Esta otra explicación atribuye la conquista a una presunta forma de superioridad española, por lo general, un valor o una moral superiores. Bernardo Vargas Machuca, en su largo tratado escrito en 1599 sobre cómo deberían combatir los conquistadores, denominaba «fortaleza interior» a este presunto fenómeno de superioridad moral. Pizarro ganó Perú debido a su «porfía de fortaleza interior». Y si Cortés «sólo tuviera la fortaleza exterior, faltándole la interior, se volviera y perdiera un imperio tan grande y tan rico que con fuerza de ánimo ganó». Por lo que se refiere a Jiménez de Quesada:

> ¿Qué fue lo que le puso en las manos un reino tan insigne y rico? La fortaleza interior, porque aunque con la exterior rompió tanta maleza de montañas y sufrió innumerables trabajos, al fin el esfuerzo de ánimo alimentó estas fuerzas de tal manera que nunca desfalleció un punto en tantas adversidades y muchas muertes de sus soldados de hambre.

Se trataba, claramente, de una teoría interesada. Los conquistadores –al igual que todos los buscadores de un ascenso de cualquier tipo bajo la monarquía española a comienzos del periodo moderno– tenían que formular –como hemos visto anteriormente– una petición a la Corona para recibir pagos y privilegios, especificando sus servicios. Muchas narraciones de la conquista escritas por conquistadores supervivientes consistían o tenían su origen en documentos de este tipo que, por supuesto, exageraban los logros del peticionario. Un caso que encaja aquí a la perfección es el memorando que redactó Hernán Sánchez de Badajoz, en el que daba cuenta de su participación en el asedio de Cuzco durante la conquista de los incas en 1536. Según su propio relato, se apoderó de una torre él solo, rompiendo la puerta, matando a todos los defensores del piso inferior, trepando por una cuerda bajo una lluvia de piedras y dando muerte a todos los defensores de las murallas. Sencillamente, esto carece de credibilidad. Pero las distorsiones de la memoria, aliadas con los diarios de los narradores, hacen de este tipo de pretensiones un lugar común en la literatura de la época; eran parte central de la cultura del género. Aun cuando concedamos que los conquistadores eran hombres de valor y fuerza excepcionales (y recalcamos la concesión), su mucho valor apenas habría maquillado la enorme diferencia de número a la que se enfrentaban ni el carácter letal de las penurias a las que tenían que hacer frente.

La idea de que los españoles disfrutaban de una superioridad moral es más atractiva. Una imagen que los primeros escritores coloniales inventaron para sostenerla –la de que los pueblos indígenas se acobardaban a causa de sus propios oráculos cargados de presagios funestos, abandonando cualquier resistencia por la influencia de augurios sobre su perdición, o convencidos de que sus enemigos eran dioses– ha ayudado a convencer a las generaciones posteriores de que los aztecas, y quizá también otros indígenas americanos, fueron víctimas de su propia corrosión moral. Incluso el gran historiador del mundo atlántico primitivo, J. H. Elliott, afirmó en su juventud que las conquistas españolas fueron posibles gracias a la superioridad militar y a la «mayor confianza en sí misma de la civilización que dio origen a los conquistadores».

La supuesta base de esta asunción es mítica. Sencillamente, no tiene sentido que los aztecas o los incas pudieran confundir a los españoles con unos seres divinos. En las fuentes indígenas no hay pruebas que sugieran esta opinión. Los casos de existencia de mitos de dioses que regresan, de «dioses procedentes del mar» o de la llegada de seres «de más allá del horizonte», se dan entre pueblos del litoral o insulares, no de tierra adentro, de imperios de tierras altas, aunque estos últimos solían, en Mesoamérica, rendir honores a los héroes y visitar a los dignatarios con formas divinas de vestimenta. El comportamiento de los anfitriones indígenas hacia los españoles fue siempre, dentro de las tradiciones indígenas, adecuado y apropiado para huéspedes humanos.

De igual modo, los augurios que presuntamente precedieron a la caída de la ciudad azteca de Tenochtitlan son un puro fraude. Todos los presuntos presagios se extrajeron, a veces con ligeras modificaciones, de tres obras sin pedigrí indígena: Las *Vidas* de Plutarco, la *Farsalia* de Lucano y la *Historia de los Judíos* de Josefo. Estos textos formaban parte del currículo clásico que se enseñaba en el México colonial de los primeros tiempos en el colegio franciscano de Santa Cruz de Tlatelolco, donde apareció por primera vez la historia de los presagios en la década de 1540. Todos ellos hablan de la suerte que corrieron Roma y Jerusalén. Para los jóvenes vástagos de la nobleza nahua educados en el colegio, Tenochtitlan era su

Roma y su Jerusalén. Como es lógico, lamentaron su caída con imágenes extraídas de la literatura que estudiaban, y sus maestros trataron estas reconstrucciones del pasado como si fueran recuerdos genuinos.

Además, no hay pruebas de que los aztecas fuesen particularmente propensos a dejarse trastornar por las supersticiones. Es cierto que cada cincuenta y dos años volvían a encender el fuego sagrado que alimentaba el cosmos y sin el cual se suponía que se acabaría el mundo, pero en cualquier sociedad estos ritos sobreviven a las creencias que encarnan. El éxito azteca a la hora de relacionarse con el mundo natural –en la agricultura, la construcción o la organización para la guerra– sugiere una competencia en conocimientos racionales, no unas mentes reprimidas por la magia. En cualquier caso, la ceremonia de volver a encender el fuego tuvo lugar por última vez en 1507, apenas una década antes de que llegasen los conquistadores. Así pues, si los indígenas estaban dispuestos a creer en el inminente fin del mundo, se habrían percatado de que estaba todavía a muchos años de distancia.

Por otro lado, son abundantes las pruebas acerca de una vacilante moral española, y así, el miedo recorre los escalofriantes relatos de testigos de sacrificios humanos. Probablemente la misma emoción fue la que provocó las masacres y las tácticas de terror a las que recurrieron los españoles de manera intermitente. Cuando el conquistador Bernal Díaz escribió la descripción más famosa de Tenochtitlan, comparándola con un castillo encantado en una novela popular de caballería, el tipo de encantamiento que tenía en mente era una hechicería diabólica, y el castillo que invocaba era un lugar horrendo, lúgubre, sombrío, oscuro y terrible.

No hay razón para pensar que los indígenas tuvieran más miedo de los españoles del que los españoles tenían de los indígenas. La tenacidad de la resistencia indígena es un potente indicador de moral robusta. Aunque la mayor parte de la literatura sobre el tema muestra la conquista de México y Perú como algo fácil y rápido, no hay nada más alejado de la realidad. Tenochtitlan resistió con fiereza, incluso cuando la lucha parecía desesperada. Una vez que cayeron sus centros principales, los incas continuaron su resistencia en los valles de montaña, donde mantuvieron un reino independiente hasta 1572.

Sin embargo, los historiadores han tendido a tomar al pie de la letra las historias creadas por los españoles acerca de su superioridad, e incluso les han hecho añadidos a las mismas. La mayoría de la literatura histórica representa a los españoles con una ventaja no sólo de moral y valor, sino también de desarrollo tecnológico, de sofisticación política y de resistencia metabólica.

Tomemos en primer lugar la tecnología. Como señalamos en el capítulo anterior, los españoles tenían armas de fuego y de acero, pero es dudoso que estas armas les proporcionasen realmente alguna ventaja; las armas de fuego sólo son buenas mientras haya provisión de pólvora y de proyectiles. Incluso las ballestas necesitan suministros de tornillos. La armadura pesada es un estorbo en atmósferas enrarecidas y climas cálidos (de hecho, los españoles renunciaron rápidamente a las corazas de acero y los pesados jubones de cuero y los sustituyeron por las armaduras de algodón acolchado de los aztecas y otros pueblos mesoamericanos). Las imágenes de los conquistadores con armadura completa fueron creadas en su mayoría después de los acontecimientos narrados, y reflejaban el atuendo de batalla de generaciones posteriores de soldados europeos (véanse Figuras 2-8).

Los caballos, la otra presunta arma secreta de España, extinguidos en las Américas diez mil años antes de que los reintrodujeran los españoles, eran muy apreciados por estos como símbolos de posición social y, al parecer, captaron la imaginación de los indígenas, aunque resultaron de poca utilidad en terrenos montañosos y en los combates callejeros que tan decisivos fueron en la mayoría de Mesoamérica y los Andes. Las quejas de Pedro de Alvarado en el sentido de que a veces, en Guatemala, «los caballos no se podían mandar, por ser fragoso el camino», y que «los de caballo allí no podían pelear, por las muchas ciénagas y la espesura del monte», eran moneda corriente. En las primeras campañas, las herraduras se convirtieron en un artículo escaso y valioso, pues, sin ellas, los caballos pasaban de ser una ayuda a convertirse en un obstáculo. En 1524, Alvarado escribía desde Guatemala refiriéndose a las herraduras que «agora valen entre nosotros ciento y noventa pesos la docena, y así la mercamos y pagamos en oro». En las llanuras abiertas, los caballos podían emplearse con un efecto devastador, y los relatos españoles sobre batallas de conquista están plagados de descripciones de esfuerzos para atraer a los guerreros enemigos a campo abierto –y, si lo conseguían, también de la matanza que venía a continuación–. Pero estos episodios sirven para ilustrar las limitaciones de los caballos en general. Además, los guerreros indígenas aprendieron pronto a evitar las batallas en campo abierto, a desjarretar a los caballos o a derribarlos por la cola, y a excavar pozos ocultos llenos de estacas afiladas para empalar a los caballos y a sus jinetes. Los indígenas también aprendieron muy pronto a montar a caballo.

La tecnología realmente importante a disposición de los españoles fue la náutica. Sus barcos pudieron llevarlos hasta el Nuevo Mundo, un logro que ningún navegante indígena pudo igualar en la dirección contraria. Además, fueron capaces de improvisar embarcaciones adecuadas para la guerra en ríos y lagos. Pero esta ventaja, aunque crítica en algunos lugares, como en el centro de México, donde los asaltantes tuvieron que aproximarse a la fortaleza azteca de Tenochtitlan atravesando un lago, fue obviamente de aplicación limitada.

Es poco probable que la creencia de que, desde el punto de vista político, los españoles eran más eficaces que los indígenas pueda echar raíces en una mente imparcial. Más bien al contrario: el éxito español tuvo lugar pese a la ineptitud política de los conquistadores. Ni Cortés en México, ni Pizarro y sus hermanos en Perú comprendieron jamás las instituciones políticas de sus enemigos. Cortés pensaba que estaba tratando con una monarquía centralizada que podría controlar capturando y manipulando al emperador azteca, una práctica habitual en el Caribe desde la década de 1490, en las Canarias con anterioridad a esa fecha y en la península Ibérica incluso antes. Los resultados fueron frustrantes; los aztecas dejaron de obedecer a sus gobernantes desde que estos cayeron en manos de los españoles. Pizarro, incapaz de comprender las realidades de la conquista de México, intentó la misma estrategia, en parte porque era práctica habitual de los españoles, y en parte para imitar a Cortés. Funcionó bastante mejor en Perú, pero fue por accidente. En ambas áreas, los españoles consiguieron atraer y reclutar para su bando a comunidades indígenas, pero no como resultado de una habilidad propia. Fueron los intermediarios indígenas quienes negociaron las alianzas –algo absolutamente lógico, porque sólo ellos hablaban las lenguas nativas–. Para la mayor parte de los acuerdos fuera del área lingüística maya, donde había españoles que hablaban algunas de las lenguas, los invasores se vieron obligados, en las primeras fases de la conquista, a depender de intérpretes competentes en los idiomas correspondientes (por lo general prisioneros) que aprendían español rápidamente.

Por último, es cierto que la gente del Viejo Mundo llevó consigo al Nuevo enfermedades desconocidas, y que a comienzos del periodo colonial los indígenas, que no estaban inmunizados, murieron por cientos de miles, quizá millones, a causa sobre todo de la viruela. La única forma de inmunizarse era contraer la enfermedad y sobrevivir a ella, algo que no consiguió la inmensa mayoría de los afectados indígenas.

A medida que avanzaba la frontera de penetración española a lo largo de los siglos de colonización, el patrón se repetía una y otra vez. A este respecto, los europeos disfrutaban de una ventaja que sí podría considerarse un tipo de superioridad: eran inmunes por naturaleza a las enfermedades que introdujeron. Sin embargo, la enfermedad no puede explicar por sí sola el resultado de las invasiones, y es importante subrayar que el caos que provocó la plaga no tuvo necesariamente que minar la resistencia indígena.

Cuatro consideraciones hacen recomendable la prudencia a la hora de reconocer el impacto de la enfermedad sobre la conquista. En primer lugar, la cronología de los brotes de enfermedades no siempre coincide con el ritmo de conquista. Sin duda, en el caso de Perú la viruela precedió a los españoles y, por lo tanto, pudo haberles ayudado, pero en el caso de México, aunque Tenochtitlan sufrió las aflicciones habituales en los casos de asedio –incluyendo el tifus, probablemente, y quizás la hambruna–, las pruebas acerca de cuándo se declaró por primera vez la epidemia de viruela son equívocas. En algunos lugares, el desastre demográfico no tuvo lugar hasta después de que pasasen los conquistadores, que propagaron involuntariamente las enfermedades por todo el mundo indígena.

En segundo lugar, a pesar del barrido mortal de la enfermedad, los defensores de México y Perú fueron capaces de presentar poderosos ejércitos de miles de hombres. La enfermedad no debilitó necesariamente la resistencia; a veces, cuanto más mortal era la amenaza, más firme era la determinación de los defensores. Este fue, al parecer, el caso de Tenochtitlan en 1520-1521, como también lo fue en el siglo xvii, cuando los iroqueses de la región de los Grandes Lagos de Norteamérica hicieron frente a los invasores franceses, a quienes, con razón, relacionaron con la propagación de la viruela.

En tercer lugar, y este es un punto decisivo –más que el de los recursos humanos de los españoles–, la conquista dependió casi siempre de los enormes ejércitos indígenas, movilizados en ayuda de los conquistadores. Los aliados indígenas eran, como mínimo, tan vulnerables a las enfermedades que habían traído los españoles como lo eran aquellos contra quienes luchaban, aunque ellos, por supuesto, estaban más alejados de la fuente de la infección. En definitiva, que las enfermedades, en la medida en que tuviesen su efecto, influyeron tanto a favor como en contra de la conquista. Por último, aunque los españoles estaban inmunizados contra las enfermedades europeas, encontraron en las Américas entornos extremadamente hostiles. Por ejemplo, no estaban acostumbrados a las altitudes de las altiplanicies aztecas e incas, y eran vulnerables a la malaria habitual en las tierras bajas que debían atravesar.

Si ni los propios conquistadores ni los historiadores posteriores tenían explicaciones convincentes acerca de lo que ocurrió en la conquista, ¿qué pensaban los indígenas?

Por la fuerza de las armas

En las primeras fuentes coloniales resulta complicado distinguir las verdaderas voces indígenas de las de los sacerdotes y funcionarios españoles que las registraron y pusieron por escrito. La mayor parte de las élites indígenas se convirtió en colaboradora del régimen colonial y aceptó e incluso elaboró sus mitos. Así, por ejemplo, los lamentos de mediados del siglo XVI por la caída de la ciudad mexicana de Tenochtitlan-Tlatelolco han sido considerados generalmente como genuinos cantos fúnebres aztecas, pero guardan un sospechoso parecido con algunos poemas de tradición europea e islámica que podrían ser conocidos por los españoles de la época. Los historiadores que dieron credibilidad a las historias acerca de los presuntos portentos que predispusieron a los aztecas al fracaso –o acerca de la presunta identificación que los indígenas hicieron de los españoles como seres divinos– fueron evidentemente víctimas de su propia credulidad y de la tendencia de los indígenas de los primeros momentos del periodo colonial por reflejar la cultura, tradiciones y creencias de los conquistadores. Durante los siglos XVI y XVII se multiplicaron las reminiscencias de este tipo, aunque pasadas por el filtro de los valores del humanismo clásico, que la remodeló de nuevo para establecer paralelismos entre los estados anteriores a la conquista y los de los antiguos griegos y romanos.

Al recordar la época de la conquista, algunos nobles mayas del Yucatán colonial se identificaban completamente con los españoles, hasta el punto de llamarse a sí mismos «nobles conquistadores». Más que lamentar la invasión, mostraban orgullo por el papel que se atribuían en la introducción del cristianismo entre sus hermanos sumidos en la ignorancia. En Perú, un líder inca que gobernaba un estado indígena independiente en las selvas de Vilcabamba se sumaba a esta visión providencial de la conquista, escribiendo sobre ella como si fuese un acto de castigo sobre sus predecesores. Mientras tanto, en España, un príncipe inca que se convirtió en un respetado hombre de letras elogiaba el imperialismo inca como equivalente al de Roma. En las décadas de 1560 y 1570, el virrey del Perú obligó a los líderes de las comunidades indígenas a escuchar y consentir largas lecturas de relatos históricos que presentaban la conquista española como una liberación de la tiranía inca. A pesar de lo variadas que son estas versiones del pasado, todas ellas derivan tanto de las tradiciones españolas como de las indígenas.

No obstante, se puede afirmar que hay unas pocas fuentes que sí encarnan los puntos de vista indígenas sin dejarse corromper por la ideología española (aunque nunca estuvieron libres por completo de alguna influencia). En el periodo posterior a la conquista, los líderes y comunidades indígenas tenían que solicitar a la Corona recompensas y privilegios igual que lo hacían los españoles; a veces, sus peticiones transmitían prioridades muy diferentes a las de los conquistadores españoles, y en algunas ocasiones reclaman una versión de la conquista que es evidentemente falsa, pero que, no obstante, revela algo sobre las perspectivas indígenas. Por ejemplo, medio siglo después de la invasión española de Guatemala, los gobernantes zutuhiles mayas de Atitlán escribían al rey Felipe II diciendo:

> Asimismo, cuando a estas partes vinieron don Pedro de Alvarado y los demás españoles conquistadores cuando venían entrando por toda esta tierra, ningún pueblo se daba de paz sino por fuerza de armas; llegados a este nuestro pueblo de Santiago de Atitlán, recibieron al dicho don Pedro y a los demás en toda amistad y seguro sin que ninguno de ellos tomara armas.

Pero una docena de fuentes españolas desmienten al detalle la afirmación zutuhil de que habían recibido a Alvarado con los brazos abiertos; son muy sólidas las pruebas que demuestran que los zutuhiles presentaron una feroz aunque breve resistencia a la enorme fuerza invasora de españoles, nahuas y kaqchikel. Tal como comentan los kaqchikel, sus enemigos y vecinos en aquella época, «los zutuhiles entonces murieron por causa de los castellanos». En ese caso, ¿por qué negar tan noble hecho? La respuesta se encuentra en la naturaleza de la carta que los zutuhiles enviaron al rey en 1571. El documento es una petición que pretende lograr una reducción de los impuestos que debían dar a los funcionarios españoles locales, y la afirmación acerca de una lealtad original e inmaculada está orientada claramente a este propósito. Sin embargo, no podemos asumir que los gobernantes zutuhiles mintieran deliberadamente, y es posible que la tradición local haya borrado el recuerdo de aquella resistencia inicial a los invasores. En otras palabras, una explicación indígena de la conquista fue que nunca ocurrió: que los españoles llegaron, fueron bien recibidos, adoptaron el cristianismo y la vida siguió su curso.

A la vez, el resumen zutuhil sobre las brutales guerras de invasión de la década de 1520 es revelador por otra circunstancia, y es que todos los relatos de la historia de Guatemala –sean nahuas, mayas o españoles– sostienen la tesis de que nadie se rindió excepto «por fuerza de armas» (como los zutuhiles afirmaban que había sido el caso en todas partes de la región). Aquí se encuentra otra explicación indígena: los invasores llegaron, los combatimos, las guerras nos desgastaron. Tal como comenta el relato kaqchikel sobre la invasión de Alvarado: «los castellanos comenzaron de nuevo a matarnos y la gente se batió con ellos en una guerra prolongada; nuevamente la guerra nos hirió de muerte».

Pero estos lamentos no eclipsan el papel fundamental que representó el micropatriotismo indígena (es decir, la naturaleza altamente localizada de la identidad indígena). En el centro de la descripción kaqchikel sobre la guerra contra otros pueblos indígenas, los kaqchikel siguen jactándose de cómo «ellos se distinguieron» –más incluso que «los castellanos»– en la destrucción de los reinos vecinos de los mayas k'iche' y zutuhiles.

De igual manera, también en México reinaba el micropatriotismo. Los líderes de Huejotzingo y Tlaxcala disputaron la hegemonía azteca en el centro de México antes de la conquista y se aliaron con los españoles durante la misma. Fuentes procedentes de ambas ciudades presentan una visión coherente y convincente de la conquista como la obra de unas comunidades indígenas luchando contra otras. Desde su propio punto de vista, los tlaxcaltecas y los huejotzincas fueron los verdaderos conquistadores de México. Una serie de imágenes tlaxcaltecas conocidas hoy como el *Lienzo de Tlaxcala* resultan de particular interés porque ofrecen una crónica de la conquista en lenguaje pictórico (véase Figura 7). Una sucesión de vívidas representaciones de batallas muestran a los soldados tlaxcaltecas en vanguardia, soportando todo el peso del verdadero combate, mientras que los españoles se mantienen discretamente en retaguardia.

Esta visión indígena se nos muestra tan interesada como lo son los relatos de los conquistadores acerca de su propio heroísmo. Pero es, quizá, ligeramente más plausible. Si los indígenas llevaron el mayor peso de la lucha, esto ayudaría a explicar las bajas relativamente escasas –por lo menos, en cuanto al número de muertos– que solían sufrir los españoles. De igual manera, ayuda a explicar el número también relativamente bajo de prisioneros para el sacrificio (puesto que, en la tradición bélica mesoamericana, especialmente en el centro de México, la lista de prisioneros era más importante que la de bajas, y el propósito de la batalla era alimentar los altares de los sacrificios).

Además, el *Lienzo de Tlaxcala* presenta un relato convincente sobre la forma en la que los españoles conseguían la ayuda de los indígenas. En todas las escenas de negociación de alianzas, el papel central lo representa la intérprete indígena de Cortés, a quien los españoles llamaban Doña Marina, una mujer a la que, en su marcha por México, los españoles habían liberado de su esclavitud y cuya lengua materna era el náhuatl, la *lingua franca* del centro de México. Puesto que, en todas las ocasiones, ella era la única persona presente que comprendía todo lo que se decía, disfrutaba de una posición de privilegio, capaz de forjar alianzas en su propio beneficio y manipular acontecimientos a su voluntad. Se desconoce su verdadero origen, pero, obviamente, debió de pertenecer a uno de los pueblos sometidos a la hegemonía azteca y profundamente resentidos por los elevados tributos que tenían que pagar al imperio. Dio un hijo a Cortés nueve meses después de la caída de Tenochtitlan y por ello acabó siendo vista burlonamente como su amante. Pero esa cuestión no aparece en los relatos indígenas y, en el *Lienzo,* doña

Marina disfruta más bien del papel de un genio que preside toda la conquista, dirigiendo las operaciones en el campo de batalla mientras Cortés adopta una posición subordinada. Otras comunidades que se aliaron con los españoles también parecen haberla tratado como la verdadera líder –o al menos, colíder– de los invasores.

Desde la perspectiva actual, resulta tentador leer el *Lienzo de Tlaxcala* y otras fuentes similares como descripciones de un conflicto interno entre los pueblos indígenas, una especie de guerra civil indígena americana. Sin embargo, los participantes no lo habrían visto de este modo. El mero concepto de un indígena americano resultaba ajeno a la mentalidad de los pueblos indígenas de aquella época; ni los pueblos mesoamericanos ni los andinos compartían una identidad común. Sólo después de siglos de presencia colonial e interacciones con un mundo más amplio emergieron las identidades étnicas regionales, por no mencionar una identidad indígena que englobase todo el hemisferio. Antes, durante y muchos siglos después de la época de las conquistas españolas, las identidades indígenas estuvieron muy atomizadas. Nadie en las Américas había tenido ningún sentimiento de unidad trascendente. Las comunidades rivales ocupaban el hemisferio y luchaban las unas contra las otras por los recursos naturales. Lo que nosotros denominamos «conquista» fue para ellos –al menos cuando comenzó y, en muchos casos, durante generaciones posteriores– sólo otro episodio en su largo historial de mutua hostilidad.

En el centro de México hubo dos niveles de división: la desunión entre las élites competentes y un odio hacia los pueblos hegemónicos que inflamó la guerra entre las distintas comunidades. El pueblo al que llamamos aztecas habitaba un grupo de ciudades-estado que vivía en una alianza muy precaria; la mayoría de estas ciudades se encontraban en islas o a orillas del lago Texcoco, a más de dos mil metros de altitud, en medio del valle central. A esta altura y en este entorno era imposible cultivar algodón, que era necesario para las vestimentas y armaduras de combate de los aztecas. La región tampoco podía producir los bienes de prestigio necesarios para la vida ritual de los líderes, como la goma utilizada en el juego de la pelota, que era una forma esencial del ejercicio aristocrático además de un culto sagrado; o el cacao para su embriagadora «borrachera» ritual cargada de teobromina; o el incienso para su ritos religiosos; o las plumas exóticas para sus tocados. En una ciudad como Tenochtitlan, rodeada por un lago, ni siquiera se podía cultivar suficiente comida –en forma de frijoles y maíz, alimentos de primera necesidad de los que dependía el sustento de la población– en el terreno disponible. Así pues, estas ciudades estaban condenadas a una vida de predación. La élite de Tenochtitlan representaba a su ciudad como un nido de águilas rodeado por la sangre y los huesos de sus víctimas. Toda el área de cultura azteca estaba unida por una elaborada red de tributos que culminaba en Tenochtitlan, a la vez que dañaba a casi todas las demás ciudades. Las demandas de víctimas para los sacrificios humanos aumentaron la carga sobre los estados tributarios. Estas demandas eran considerables. Las fuentes coloniales más antiguas afirman en varias ocasiones que se arrancaron los corazones de entre 20.000 y 80.000 víctimas humanas vivas para santificar el templo principal de Tenochtitlan cuando fue consagrado en 1487. Incluso la cifra de 20.000 será con seguridad una exageración, pero el acontecimiento fue recordado con claridad durante generaciones como un exceso terrible y sangriento. No sería pertinente suponer que las muchas comunidades que se unieron para oponerse a los aztecas intuyeran una recompensa como la que les trajeron los españoles. Probablemente, querían una redistribución de los tributos que les resultase más favorable. Para ellos, lo que ocurrió fue un ejemplo de la ley de consecuencias imprevistas.

En Yucatán, la desunión de la élite indígena se pone de manifiesto de manera muy clara en las peticiones y narraciones, realizadas con posterioridad, de los autoproclamados «conquistadores indígenas», así como en varios libros, mezcla de historia y profecía, escritos en la era colonial siguiendo una tradición anterior a la llegada de los españoles y que se conocen como *Libros de Chilam Balam* (o *Profeta Jaguar*). Durante siglos, varios linajes nobles –de los cuales los más notables eran los Xiu, los Pech y los Cocom– se habían disputado la hegemonía en la región. Los incidentes más traumáticos, sangrientos, destructivos y mejor recordados de sus guerras tuvieron lugar antes de que llegaran los españoles. Cuando eligieron apoyarlos o hacerlos frente, sus decisiones fueron tomadas sobre la base de un odio y unos resentimientos abrigados durante mucho tiempo atrás.

En el momento de la invasión española, los mayas del Yucatán estaban divididos en unos reinos muy vagamente definidos (por lo general, los historiadores se refieren a ellos sencillamente como «provincias» independientes). Esto favorecía una escena política muy cambiante en la que los gobernantes mayas rompían alianzas unos con otros y con los españoles con la misma rapidez que las forjaban. En 1547, año en el que, después de dos décadas de luchas, terminaron los combates más importantes, los españoles controlaban únicamente el noroeste de la península. La frontera se fue trasladando poco a poco hacia el este y el sur durante siglos, pero España nunca controló toda la península. Así pues, la desunión de los indígenas convirtió la conquista del Yucatán en una cuestión prolongada en el tiempo, además de sangrienta e incompleta desde el punto de vista geográfico. Pero también la hizo posible; si la élite dinástica maya hubiese estado unida contra los invasores, habrían sido capaces de rechazarlos indefinidamente.

La situación entre los mayas en el sur, en el altiplano de Guatemala, era ligeramente diferente, de una forma que resulta esclarecedora. No existía un único imperio que provocase el resentimiento de los líderes provinciales y que pudiese ser aprovechado para la causa de los invasores (como ocurrió en el centro de México), o cuyas magníficas infraestructuras pudiesen ser aprovechadas por los españoles (como en los Andes). Tampoco había una serie de pequeños reinos dispersos, más o menos iguales en poder, que forzasen a los españoles a emprender una y otra vez incursiones militares y alianzas locales (como en el Yucatán).

En lugar de eso, en las tierras altas había dos grandes reinos rodeados por entidades políticas menores que se extendían por el norte hasta las tierras bajas y por el sur hasta la costa del Pacífico. Los dos reinos mayores eran los de los mayas k'iche' (quiché) y kaqchikel (cakchiquel). En otros tiempos, los k'iche' habían dominado a los kaqchikel, pero estos últimos se habían rebelado con éxito cincuenta años antes de la llegada de los españoles. Desde la revuelta, ambos reinos habían mantenido una rivalidad tan intensa que ni siquiera la perspectiva de un brutal asalto dirigido por los españoles contra ellos consiguió que establecieran una alianza.

Podemos pensar que los imperios caerían con mayor dificultad en manos españolas que los reinos pequeños, y que cuanto mayor fuese la entidad política, más quebraderos de cabeza provocaría a los conquistadores. Pero, frente a lo que dictaría la intuición, lo que ocurrió fue lo contrario: a pesar de la compleja naturaleza de la desunión indígena, el gran imperio de los aztecas cayó después de dos años de guerra (1519-1521), los reinos hegemónicos de las altiplanicies de Guatemala se sometieron al control español tras cinco años de baños de sangre (1524-1529), y las docenas de pequeñas entidades políticas del norte del Yucatán fueron «pacificadas» después de veinte años de invasiones (1527-1547). Las fechas de estas guerras revelan otra dimensión de la comparación.

El éxito español después de 1521 no se basó únicamente en el hecho de que Tenochtitlan, la capital azteca, hubiera sido completamente destruida y que toda la familia real hubiese muerto o hecha prisionera. Se basó en especial en la rapidez con la que los españoles, aztecas y la élite de las ciudades-estado nahuas del centro de México adaptaron el antiguo imperio al nuevo; las fuerzas combinadas de españoles y nahuas «reconquistaron» el imperio azteca con el nombre de Reino de Nueva España. El éxito de este proceso fue tal que, a finales de la década de 1520, españoles y nahuas habían traspasado las antiguas fronteras imperiales y habían invadido territorio maya. Probablemente, las campañas contra Guatemala y Yucatán dirigidas por los Alvarado y los Montejo habrían fracasado si no hubieran contado con miles de guerreros nahuas y de otras tribus mesoamericanas que formaron el grueso de las compañías de invasión.

En Perú, en un mundo inca dividido por rivalidades internas, las fuentes indígenas revelan igualmente una acumulación similar de resentimiento por parte de las comunidades sometidas. Los incas practicaban lo que podríamos denominar «imperialismo ecológico». En la región andina, el abrumador paisaje que se extiende entre la selva tropical y el mar incluye una sorprendente diversidad de entornos naturales en áreas relativamente pequeñas. A los dos lados de una cadena montañosa, o de valles contiguos, pueden predominar patrones opuestos de lluvia y sol. Cuando se ascienden las laderas de una montaña, la humedad, la temperatura y la flora y fauna cambian en un espacio muy reducido. Los productos del mar y las tierras bajas están relativamente al alcance de la mano. Por eso, casi todos los estados andinos, siglos antes del ascenso inca, habían explotado esa diversidad, combinando los productos de diferentes zonas para aumentar su nivel de vida.

Los incas no aportaron nada nuevo a este respecto; se limitaron a hacerlo a una escala mucho mayor que cualquiera de sus predecesores. Sus ejércitos controlaban miles de kilómetros, en unos 30° de latitud, en los que había diferentes ecosistemas; a la diversidad norte-sur se añadía la generada por cambios de altura consecuencia de las frecuentes pendientes, así como las propias del eje este-oeste. Además de enviar productos de una parte a otra del imperio, trasladaron poblaciones completas para que trabajasen en lugares donde consideraban necesario ampliar la producción. Así, por ejemplo, cuando los incas conquistaron a su rival, la ciudad-estado costera de Chimor, a finales del siglo xv, la arrasaron literalmente hasta los cimientos y deportaron a toda la población. En los años anteriores a la llegada de los españoles, se dijo que el gobernante Huayna Capac había desplazado a muchos miles de trabajadores procedentes de todo el imperio para trabajar los campos de Cochabamba plantando coca con la que bendecir o enloquecer los rituales de la élite inca. Al parecer, se reservaron además varias decenas de miles de hombres para construir su palacio de verano. Y para conseguir esta mejora de la eficiencia ecológica se recurrió a implantar tácticas de terror. Según se dice, cuando conquistó a los cañaris, Huayna Capac hizo ahogar a veinte mil guerreros enemigos en el lago Yahyar-Cocha.

Así pues, había varios pueblos dispuestos y ansiosos por combatir la hegemonía inca. Pero también funcionaron otros resentimientos de naturaleza más sutil. Por ejemplo, una de las fuentes más importantes, compilada a finales del siglo xvi o principios del xvii, recoge tradiciones de los checa, un pueblo del valle de Huarochirí, que ocupó en los primeros momentos de la era colonial una posición estratégica en la vía desde Lima –la capital que construyeron los españoles– hasta la antigua fortaleza inca en Cuzco. Las prioridades en sus fronteras se definían con precisión. Estaban casi siempre en conflicto con sus vecinos, a quienes temían como rivales y despreciaban como «salvajes», y habían ostentado la supremacía local gracias en parte a su alianza con los incas. Sin embargo, poco antes de la llegada de los españoles, los incas habían roto los términos del acuerdo al negarse a celebrar una danza anual en el principal santuario de los checa. Así eran las formas de la política andina, basada en rituales que les resultaban incomprensibles a los españoles. Como reacción ante esta afrenta, los checa se aliaron a los conquistadores y acabaron derrotando a sus antiguos amigos.

Las posteriores ampliaciones del territorio que gobernó España se basaron también en su alianza con los indígenas. Los ejércitos que los españoles llevaron a Guatemala y Honduras en la década de 1520 estaban formados, en su mayoría, por guerreros de habla náhuatl, y otro tanto se puede decir también de la soldadesca que conquistó Nuevo México en los últimos años del siglo XVI. Así pues, una forma de comprender lo que ocurrió en lo que denominamos «conquista» sería considerar a los españoles como los sorprendentes beneficiarios de un proceso que no tenía nada de sorprendente, a saber: frecuentes episodios de enfrentamientos en las familias indígenas hegemónicas que, de cuando en cuando, suponían cambiar a quienes tenían el poder.

Cualesquiera que sean las certezas de este punto de vista, con ellas surgen otros problemas. En primer lugar, ¿por qué los españoles –que eran inferiores en número al menor de los aliados que colaboraron en el derrocamiento de aztecas e incas, y que eran intrusos y extranjeros en todas las tierras que llegaron a gobernar en el Nuevo Mundo– se beneficiaron de los cambios de los que fueron testigos más que cualquier otro grupo indígena implicado? ¿Por qué, por ejemplo, no fueron los tlaxcaltecas los que sucedieron a los aztecas? ¿Por qué el reino inca no se fragmentó sin más en una serie de estados indígenas? ¿Por qué hubo tan pocos lugares, tanto dentro de la penumbra de los mundos azteca e inca como en el resto de las Américas, donde se rechazó el dominio español? Además, esta interpretación desde la óptica nativa o indigenista pasa por alto un hecho de importancia fundamental: en gran medida, lo que llamamos «conquista» tiene un nombre erróneo. En la mayoría de lugares, no hubo conquista en absoluto.

Una explicación convincente

Consideremos esta afirmación durante unos instantes. Tradicionalmente, el pensamiento de quienes se han centrado en esta cuestión se ha visto dominado por la idea de que el establecimiento de la hegemonía europea en las Américas se llevó a cabo de forma sangrienta y terrible. La guerra –tal como dijo una vez el novelista Thomas Hardy– «hace rápidamente buena historia, pero la paz es una lectura muy pobre». Puesto que son innumerables las fuentes que proclaman el mérito de los guerreros, estas se centran en las batallas y transmiten una imagen de intenso conflicto. Además, después de la conquista, surgió en España un poderoso grupo de presión de críticos con el imperialismo que denunció a sus compatriotas por las crueldades y barbaridades cometidas, confirmando así la impresión de que el proceso estuvo marcado por una horrible violencia. Por ejemplo, cuando pensamos en la conquista de México o Perú, nos vienen a la mente las imágenes de la masacre que perpetró Cortés contra al menos tres mil pacíficos habitantes de la ciudad de Cholula, o las del incidente de Cajamarca, cuando Pizarro capturó al emperador inca y asesinó a muchos de sus tres mil ayudantes prácticamente desarmados sin que hubiera existido provocación previa. Pero estos llamativos episodios fueron recursos desesperados de unos hombres desesperados que, ante una situación de aislamiento traumático, recurrieron al terror para aliviar sus temores o para animar a sus compañeros. La historia convencional de la conquista de México dibuja los contornos de tres guerras: la prueba de fuerza de los españoles contra los tlaxcaltecas antes de la alianza, los sangrientos combates por Tenochtitlan y la brutal represión en Michoacán, en el norte del valle de México, donde los habitantes del lugar rompieron con los españoles después de una fase inicial de acomodación, provocando una venganza inmisericorde. Sin embargo, no se suele llamar la atención sobre el rasgo más notable de estos conflictos: que fueron muy escasos.

La contienda con los tlaxcaltecas fue una especie de prueba sobre la aptitud de los españoles como potenciales aliados, no una auténtica acción hostil por parte de los indígenas. La violencia en los otros dos episodios fue real, pero los aztecas y los pueblos de Michoacán fueron sólo dos grupos de entre los muchos cientos que había en la región, y ninguno de ellos se vio obligado a someterse. Por lo general, llegaban a una convivencia pacífica con los españoles. En algunas partes de lo que se convirtió en el imperio español en el Nuevo Mundo no fue necesario el empleo de las armas: fueron sacerdotes o embajadores desarmados los encargados de negociar la adhesión a la monarquía española. La implantación del imperio español –aunque de ninguna manera el más brutal o malintencionado de la Historia– supuso un terrible sufrimiento para la mayoría de los pueblos que lo padecieron, y sus efectos negativos son evidentes. Pero se debe reconocer que, en la mayoría de su territorio, su establecimiento fue notablemente pacífico. Por lo menos, debemos encontrar una explicación de la «conquista» que tenga en cuenta la escasez de hechos bélicos y la abundancia de negociaciones que llevaron a los pueblos indígenas a acomodarse a la nueva situación y plantear escasa resistencia.

Una de las tendencias más llamativas en los estudios históricos más recientes es la de volver a un realismo sobre cómo funcionan los imperios que había sido excluido de los mismos durante mucho. Es extremadamente raro que una comunidad someta a otra sin valerse de traidores y colaboradores indígenas. Antes de la industrialización –que equipó a los estados modernos con recursos de comunicación y arsenales de coerción asombrosamente eficaces–, resultaba imposible llevar a cabo conquistas duraderas sobre víctimas renuentes. Los pueblos indígenas sometidos al dominio colonial rara vez, si es que hubo algún caso, perdieron todo el poder e iniciativa, y de hecho continuaron moldeando sus propias historias dentro de los marcos de los imperios a los que pertenecían. En tiempos recientes, los grandes imperios erigidos por británicos, franceses, holandeses y, en cierto sentido, alemanes practicaron en todos los casos lo que los británicos llamaban «gobierno indirecto», dejando o devolviendo el poder a las élites indígenas, y por lo general, reclutaban a sus ejércitos y fuerzas policiales entre las filas indígenas.

No deberíamos esperar que un imperio de principios de la era moderna como el español fuese diferente. De hecho, si fue algo, fue más dependiente aún de los intermediarios indígenas, a causa de la inmensidad de los territorios que lo formaban, la escasez de recursos que lo mantenían, la falta de población española que sufría permanentemente, la «tiranía de la distancia» y la dificultad de las comunicaciones que hacían que el control del territorio resultase complicado.

Las evidencias confirman estas reflexiones. Esto deja abierto el problema de cómo desentrañar los motivos por los que los pueblos que confiaron en la autoridad de los españoles continuaron soportando en la mayoría de los casos su dominio, pagando impuestos y cooperando en su propia explotación sin que, curiosamente, se alteraran por ello. Todas las culturas que acogieron a los españoles exhibieron el «efecto extranjero», es decir, que por tradición apreciaban a los extranjeros y mostraban predisposición a concederles honores. Algunos antropólogos afirman que, en algún momento de su desarrollo, todas las sociedades muestran preferencia por los extranjeros, e incluso que son muchas las monarquías que tienen su origen en la elevación de unos extranjeros a la dignidad regia. Sea como sea, hay muchas sociedades, especialmente en el Sudeste Asiático y en el Pacífico, que han dado muestras de esta tendencia en épocas recientes, cuando ha podido ser meticulosamente documentada. Esto es perceptible incluso hoy entre los occidentales, quienes, pese a no poseer una tradición activa de preferencia hacia los extranjeros, valoran los productos foráneos de la misma manera que otras culturas valoran a los individuos extranjeros. La antropóloga Mary Helms ha reunido innumerables ejemplos de sociedades que, literalmente, santifican los productos en proporción a la distancia que han recorrido, así como de la proximidad que existe de su presunta procedencia respecto al horizonte divino. Las personas adquieren el grado de santidad o una forma menor de respetabilidad de la misma manera. En la historia documentada de Occidente, los peregrinos eran venerados, y los viajeros regresaban de lugares lejanos aumentando su reputación de hombres sabios.

La prevalencia que el indígena americano otorgaba al extranjero en muchas tradiciones forma parte de estos ejemplos. Posiblemente, esta es la clave para comprender las afirmaciones de los españoles de que fueron confundidos con dioses. En muchos lugares fueron recibidos con el tipo de reverencia debida no a los dioses, sino a los regalos de los dioses, investidos con el misterio por el hecho de venir de un lugar muy lejano. El papel de los misioneros a la hora de ampliar las fronteras del imperio resulta comprensible cuando lo ponemos en relación con este hecho. Resulta sencillo someterse a un hombre santo cuya procedencia se considera sagrada debido a su lejano origen.

En cualquier caso, en ciertos contextos sociales y políticos, al extranjero se le considera un regalo celestial de una naturaleza absolutamente práctica. Al carecer de cualquier clase de vínculos con las facciones en lucha, centros de poder o linajes rivales existentes, el extranjero se convierte en el árbitro ideal para cualquier tipo de disputa. Este poder de arbitraje supone una especie de autoridad judicial que, en la mayoría de sociedades, es una función (y a menudo es el ingrediente definitorio) de la soberanía. En muchos lugares de Mesoamérica y los Andes, los españoles, legos y religiosos, desempeñaron la función de resolver las disputas indígenas sobre la tierra, la realeza y la distribución de la riqueza y el poder. Con cada arbitraje que hacían, los españoles se volvían más valiosos a los ojos de las sociedades que los acogían y más arraigados como parte, o como un añadido, de sus tradicionales estructuras de poder.

Además, lo exótico es, para algunos gustos, sexualmente atractivo, y muchas sociedades practicaban de forma rutinaria la hospitalidad sexual con los extranjeros. Además, ciertas consideraciones prácticas también recomiendan la elección del extranjero como socio matrimonial, en especial en el caso de los miembros de las élites indígenas, precisamente porque el matrimonio con un local tiende a comprometer la propia independencia política, mientras que el extranjero confiere prestigio sin cargar a la esposa o el marido con asociaciones vergonzosas. Esa es la razón por la cual las familias reales europeas han buscado, por lo general, socios matrimoniales fuera de sus reinos.

No debe sorprender que tantas dinastías indígenas en las Américas hicieran lo mismo con los españoles. Cuando se da el matrimonio con un extranjero (o cualquier tipo menos formal de cohabitación), este acto tiene consecuencias. Generalmente, el extranjero adquiere autoridad, beneficios, tributos, deferencia ritual, un lugar de honor e incluso de poder dentro de la sociedad que lo acoge. Las formas características de explotación económica mediante las cuales los españoles mantuvieron su hegemonía durante los comienzos del periodo colonial fueron adquiridas casi de manera automática en virtud de sus matrimonios con mujeres indígenas de elevada posición social. El imperio español, aunque surgido por la violencia en algunos lugares, fue, en otros, consecuencia del «efecto extranjero».

¿Ayuda este modelo de adquisición del poder en virtud del «efecto extranjero» a explicar las conquistas en América de gentes fuera de las fronteras españolas? Los casos más sugestivos quedan, casi siempre, fuera de la literatura: los reinos cimarrones fueron creados con frecuencia por esclavos huidos, a veces en sus propias comunidades, pero también imponiéndose a pueblos indígenas. Los procesos que elevaron a los esclavos al poder sobre los indígenas fueron iguales a los que permitieron a los españoles hacerse con el poder.

Los colonos ingleses, franceses, portugueses y holandeses también actuaron a veces en lugares sujetos al «efecto extranjero». Por lo general, los invasores de esas nacionalidades modelaron sus empresas basándose en los precedentes españoles; supieron explotar la bienvenida que les daban los indígenas, y adquirieron derechos de asentamiento –por ejemplo, los holandeses en Manhattan y los ingleses en Pensilvania– mediante negociaciones pacíficas. Los «peregrinos» de Massachusetts y los colonos que establecieron la primera colonia inglesa estable en Virginia hubieran perecido de hambre a los pocos días de llegar si los indígenas no los hubieran alimentado. Los europeos explotaron a lo largo y ancho de toda América las rivalidades y las divisiones existentes entre los indígenas para reclutar colaboradores y establecer alianzas, igual que habían hecho en su día los españoles. Aunque ningún otro país colonial fue tan proclive a aplicar la sexualidad a la política como los españoles, los matrimonios de europeos con mujeres indígenas reforzaron las buenas relaciones o, al menos, las hicieron susceptibles de mejorar.

Encontramos aquí una curiosa ironía en el hecho de que, en un primer momento, los españoles sobrevivieron en las Américas porque eran extranjeros y, a largo plazo, porque se convirtieron en locales. El «efecto extranjero» ayuda a explicar por qué los españoles fueron tan a menudo los beneficiarios de las guerras internas de los indígenas; da fe de la extensión del poder español mediante la negociación y la acomodación, y contribuye a que podamos comprender los episodios violentos durante la conquista ampliando el contexto en el que resulta inteligible el reclutamiento de aliados indígenas. Sin embargo, el resultado de aquellos episodios violentos es un fenómeno demasiado grande y variado como para producir una explicación sencilla que lo abarque por completo. En palabras de Jerez, «¿cuándo se vieron [...] tan grandes empresas de tan poca gente contra tanta [...]?».

Para alcanzar una completa comprensión –o tan cerca como podamos estar de ella– debemos volver a los conceptos básicos y admitir que, mientras ninguna de las explicaciones tradicionales que hemos diseccionado en las páginas anteriores es satisfactoria por sí misma, muchas de ellas tienen un lugar como parte de una armonía de explicaciones, cuyo equilibrio podría moverse –junto con el contexto cultural y las condiciones medioambientales– de una parte de las Américas a la otra.

En primer lugar, incluso teniendo en cuenta el impacto de las enfermedades, los conquistadores seguían siendo muy inferiores en número a sociedades sedentarias como las de los aztecas, los nahua, los mayas y los pueblos andinos. Este desequilibrio numérico se vio compensado en gran medida por el micropatriotismo indígena. La naturaleza altamente localizada de las identidades indígenas americanas fomentó su desunión, lo cual hizo posible que los españoles reclutasen grandes cantidades de guerreros comandados por sus propios líderes, la adquisición de intérpretes (de los cuales la más famosa es Doña Marina) y la colaboración de las élites indígenas en las campañas de conquista y la construcción colonial.

El armamento de los españoles no supuso una ventaja decisiva, capaz por sí sola de explicar su éxito, pero dio a los conquistadores una oportunidad mayor de poder luchar por su supervivencia. El arma que mató más guerreros indígenas y salvó a los invasores en más ocasiones que ninguna otra fue la espada de acero. Una importancia menor tuvieron las armas de fuego, los caballos y los perros de guerra o mastines; no todos los conquistadores disponían de estas armas, y sólo eran útiles en determinadas circunstancias, a pesar de que los españoles estimaban enormemente los caballos.

A pesar del beneficio que supusieron para los españoles las enfermedades epidémicas, los aliados indígenas y la espada de acero, hubo momentos en los que los invasores sucumbieron de todas formas, y momentos asimismo en los que habrían perecido de no ser por las propias circunstancias de la invasión. Los españoles no tenían nada más que perder que sus propios pellejos. Seguir adelante mantenía en pie el objetivo de lograr grandes riquezas y prestigio social, mientras que regresar les aseguraba las deudas, la ignominia y quizá el castigo del patrón que se sintiese traicionado.

Los líderes indígenas, por el contrario, estaban defendiendo algo más que sus propias vidas. Estaban en juego las vidas de sus familias, la futura condición social de sus descendientes, el bienestar de toda la comunidad. En consecuencia, los indígenas tenían la motivación necesaria para buscar un compromiso y amoldarse a un invasor dispuesto a seguir luchando –y, a veces, capaz de hacerlo– hasta que tal amoldamiento se alcanzase. Es probable que los líderes indígenas nunca llegaran a imaginar que esos compromisos dieran como resultado tres siglos de dominio colonial español.

5. Un atajo a la tumba

«Se retiró de allí la gente, cada compañía a su presidio», escribía un veterano de las batallas de conquista en Sudamérica. Con una pretensión de auténtico valor y dura bravata característica de estos relatos de primera mano, el conquistador añadía que «yo pasé al Nacimiento, bueno sólo en el nombre y en lo demás una muerte, con las armas en la mano a todas horas».

La memoria continúa con un relato acerca de cómo fue destrozada en las llanuras una fuerza española de cinco mil hombres bajo el ataque constante de los guerreros indígenas «con harta incomodidad». En varias ocasiones, los españoles sobrevivieron tras entablar combate con «los indios», «maltratándolos siempre y destrozándolos». Pero cuando llegaron los refuerzos indígenas, «nos fue mal y nos mataron mucha gente, y capitanes, y a mi alférez, y se llevaron la bandera». Tres de los conquistadores salieron entonces a caballo en pos de la bandera, «por medio de gran multitud, atropellando y matando y recibiendo daño». Cayó un español, pero los otros dos la alcanzaron:

> Pero cayó de un bote de lanza mi compañero. Yo, con un mal golpe en una pierna, maté al cacique que la llevaba, se la quité y apreté con mi caballo, atropellando, matando e hiriendo a infinidad; pero malherido y pasado de tres flechas y de una lanza en el hombro izquierdo, que sentía mucho; en fin, llegué a mucha gente y caí luego del caballo.

Al principio, este recuerdo tiene el tono de la probanza de un conquistador español del siglo XVI, pero si hacemos una lectura más cuidadosa, vemos que carece de cualquier tipo de justificación autorreflexiva, se narra la violencia quizá con demasiado condimento (casi recuerda a Aguirre y su orgullosa confesión de asesinato) y posee un aire de novela de capa y espada mucho mayor que las probanzas e incluso más que las narraciones de Bernal Díaz. Aun así, el relato podría pasar como un ejemplo de escrito de petición de un conquistador. De hecho, está tomado de un relato escrito por un conquistador. Lo sorprendente es que el conquistador en cuestión no es un hombre del siglo XVI, sino Catalina de Erauso, una mujer del siglo XVII que escapó de un convento de monjas vasco en 1599 y que en 1603 viajó hasta las Indias vestida de hombre. Allí vivió dos décadas como un conquistador de la última generación, hasta que fue desenmascarada como un fuera de la ley travestido. Erauso fue enviada de vuelta a España, donde se convirtió en una celebridad internacional, llegando a conocer al rey y al papa.

Imaginando a los conquistadores

¿Qué mejor símbolo del cambio en la cultura del conquistador que la mitad celebración, mitad parodia de Erauso del estilo de vida de la conquista de las Indias? ¿Cómo consigue Erauso salir airosa de su decepcionante cambio de sexo, y ser aclamada más que condenada tras ser desenmascarada? ¿Es porque, como ella misma afirma, permaneció virgen? ¿O fue porque para la década de 1620 –un siglo después de que se extendiesen por toda Europa las impresionantes noticias del descubrimiento y caída del imperio azteca– a los españoles no les apetecía machacar a un conquistador?

Si esta última explicación es cierta, había un hombre, muerto mucho antes de 1620, que tuvo mucho que ver. Bartolomé de Las Casas había llegado a las Américas un siglo antes que Catalina de Erauso. Las Casas fue un símbolo de aquellos primeros años en el Caribe igual que Catalina fue un símbolo de la pomposa complejidad de la cultura de los conquistadores tardíos. El padre de Bartolomé había viajado como comerciante desde Sevilla en uno de los viajes de Colón en la década de 1490, y daba gracias por haber unido a su hijo a su negocio de provisión de los conquistadores que invadieron las islas del Caribe. Allí Las Casas fue testigo, y participó, en los excitantes primeros días de oportunidades y decepciones.

Pero desde el comienzo mismo de la conquista, hubo entre los comerciantes, capitanes, colonos y sacerdotes algunos que mostraron algo más que un mínimo interés por las gentes y los lugares que encontraban. Hubo conquistadores que observaron a su alrededor con mirada penetrante, escribieron acerca de lo que veían y discutieron con sus iguales; unos pocos lo llevaron al extremo. Sin duda muy a pesar de su padre, el interés de Bartolomé de Las Casas por los taínos le alejó de los negocios familiares y lo condujo hasta el sacerdocio. Renunció a la búsqueda del éxito del colono (sus encomiendas en Cuba y La Española) y se convirtió en una antorcha dominicana, dedicando su larga vida a una campaña para convencer al rey de que nombrase a sacerdotes, y no a conquistadores, como gobernadores de las nuevas colonias. Sus asentamientos experimentales en Guatemala y Venezuela no llegaron a nada, y el imperio español jamás se convirtió en un archipiélago de utópicas colonias religiosas.

La defensa que Las Casas hizo de los indígenas americanos no cayó en saco roto. Provocó tal controversia que el rey se vio obligado a escuchar. Sus argumentos para que los pueblos indígenas quedasen exentos de la esclavitud y para que las encomiendas (que proporcionaban mano de obra indígena a los españoles) no pasasen como herencia de unos propietarios españoles a otros quedaron reflejados en 1542 en un conjunto de edictos conocidos como las Leyes Nuevas. A pesar de la resistencia e incluso una rebelión de los conquistadores contra las Leyes Nuevas, tuvieron un impacto duradero en el desarrollo de las colonias. La *Brevísima relación de la destrucción de las Indias* de Bartolomé de Las Casas se convirtió en un *best-seller* ya en vida del autor. Hasta su fallecimiento en 1566 disfrutó de la protección de la Corona y del derecho de petición en la impresión y en la corte contra los abusos de los colonos contra los colonizados.

Bartolomé de Las Casas no fue un antiimperialista ni un activista humanitario defensor de los derechos humanos en el sentido moderno del término. No denunció al imperio español ni cuestionó su derecho a colonizar. Sin embargo, se opuso y denunció los métodos de aquellos que forjaron el imperio; atacó a los conquistadores y, de hecho, la esencia misma de la cultura del conquistador. Muchos de sus escritos, incluida la polémica *Brevísima relación,* fueron traducidos a otras lenguas europeas y ampliamente leídos por los enemigos de España.

Las descripciones que hacía Las Casas de las atrocidades de los conquistadores se convirtieron en piedras angulares de la llamada «Leyenda Negra», que hacía del imperialismo algo excesivamente brutal e inmoral. Había dos aspectos que nos resultan irónicos en la popularidad que esta descripción tuvo en los países protestantes; el primero era que los imperios protestantes igualarían, y posteriormente superarían, la violencia cometida por los conquistadores españoles en América. El otro fue el mensaje implícito en la Leyenda de que los españoles eran crueles porque eran católicos, lo que resulta paradójico en vista de la insistencia de Las Casas para que las colonias fueran gobernadas por sacerdotes.

Había tantos españoles que aborrecían la *Brevísima relación* como ingleses a los que les encantaba. Uno de los que la odiaban fue Bernardo de Vargas Machuca (véase Figura 8). Nacido unos pocos años después de la primera publicación de la *Brevísima relación,* Vargas Machuca siguió una carrera de conquistador tardío en las décadas finales del siglo xvi. En el territorio de la actual Colombia dirigió incursiones de castigo contra comunidades

Figura 8. Bernardo de Vargas Machuca. Frontispicio de su obra *Milicia Indiana y Descripción de las Indias,* publicada en Madrid en 1599. El veterano de las campañas de conquista en Sudamérica parece imitar la pose del rey de España Felipe II, como se puede comprobar en el retrato del monarca español pintado por Tiziano en 1551 (página opuesta).

indígenas «rebeldes» y buscó la mítica ciudad selvática de El Dorado. Harto de la forma en la que Bartolomé de Las Casas y sus seguidores hundían la reputación de los conquistadores, Vargas Machuca escribió en 1603 una refutación punto por punto de las acusaciones del sacerdote sevillano. Aunque su *Defensa de las conquistas occidentales* no fue publicada hasta siglos después (su primera edición en inglés es del año 2010), reflejaba parte de la actitud hacia lo que con el tiempo se vería como la edad de oro de los conquistadores.

Contemplando la cuestión con el prisma de la defensa de Vargas Machuca, los pueblos indígenas eran tan inherentemente salvajes y agresivos que su conquista fue, de hecho, una «pacificación», un término utilizado por los conquistadores desde los primeros años de las guerras de conquista. Vargas Machuca da un giro completo a la Leyenda Negra empleando los insultantes adjetivos que Las Casas lanza contra los conquistadores para describir a los «indios»: codiciosos, crueles, depravados sexuales y cobardes. Las figuras de los conquistadores clásicos reciben una alabanza bastante previsible. Por ejemplo, Machuca concluía que la entrada de don Hernán Cortés en Nueva España «se puede muy bien entender que Dios la dispuso, ordenó y guió». Se presenta al conquistador de México como un noble profundamente religioso cuyas hazañas fueron «corteses». Vargas Machuca se pregunta: «Este gran caballero y cristiano ¿por qué mereció título de cruel tirano?».

Muchos españoles se mostraron de acuerdo con este punto de vista, en especial a medida que avanzaba el siglo xvii. Al parecer, Vargas Machuca fue un adelantado a su tiempo. Aunque ese siglo contempló cómo aumentaba continuamente la reputación internacional de Las Casas, mientras Vargas Machuca permanecía en el olvido, la condena de los conquistadores y su cultura ni fue dada por sentada ni se alcanzó fácilmente en el mundo hispano. Se podía parodiar, pero sólo de una manera indirecta. Un ejemplo es la pícara autobiografía de Catalina de Erauso, con sus hazañas en Sudamérica como forma de parodia representada. Otra es la brillante invención de Miguel de Cervantes, el personaje de Don Quijote de la Mancha, el conquistador delirante.

A pesar de todo el éxito de *El ingenioso hidalgo Don Quijote de la Mancha,* la gran novela de Cervantes, su protagonista epónimo nunca salió de España. El objetivo evidente del ingenio del poeta era el caballero de la época de la caballería, no el capitán de las campañas de conquista en las Indias; Don Quijote sólo era un Vargas Machuca o un Montejo (no digamos un Cortés o un Aguirre) de manera muy indirecta. Por supuesto, hay razones literarias que explican por qué Cervantes decidió hacer una sátira de un caballero andante en lugar de convertir directamente a un conquistador del Nuevo Mundo en una figura ridícula. Pero su elección se explica también por un contexto político y cultural más amplio en la España de comienzos del siglo XVII, que no era precisamente propicio para hacer mofa de los conquistadores, y menos aún a finales de aquel mismo siglo.

Por ejemplo, un vistazo a los retratos del periodo revela que los conquistadores estaban ansiosos por aparecer en el lienzo como personajes regios, llenos de dignidad y autoridad (a una gran distancia del cómico caballero de

Cervantes). Los retratos de los conquistadores tomaban su inspiración y su legitimidad de otros dos géneros de retrato, el de los reyes y los virreyes. Los retratos de los reyes tendían a establecer tropos visuales que fueron posteriormente imitados en los retratos oficiales de los virreyes mexicanos y peruanos, así como en los retratos oficiales y privados de los conquistadores. La imitación que Vargas Machuca hace de la pose de Felipe II medio siglo después (véase Figura 8) no fue simplemente un préstamo directo, sino parte de una pretensión más amplia de reconocimiento de la posición social mediante la asociación con el monarca. De igual modo, la vista de medio cuerpo y en tres cuartos de Jiménez de Quesada (véase Figura 2) era una pose convencional de las primeras pinturas modernas, en especial de los retratos oficiales de virreyes y gobernadores de las provincias del imperio. En el palacio real de Ciudad de México, la sede del gobierno de Nueva España, colgaron durante los siglos coloniales varios retratos de medio cuerpo de los virreyes de Nueva España, comenzando con el del primer gobernador, Hernán Cortés.

Una descripción de 1666 de los retratos del palacio real de Ciudad de México asegura que en la misma habitación estaba expuesto el famoso retrato que Tiziano pintó a Carlos V, y que fue enviado a México por el emperador «luego que tuvo la feliz nueva de la conquista de estos reinos». Aquello era imposible; el lienzo debió de ser una copia del original de Tiziano, que fue pintado en 1548, dos décadas después de que llegasen a España las noticias acerca de la caída de los aztecas. En cualquier caso, el mensaje era suficientemente claro: el rey, el virrey y el conquistador estaban colocados y yuxtapuestos en una relación de legitimidad, autoridad y lealtad.

El mismo mensaje se divulgó públicamente en otras pinturas del siglo xvii, sobre todo en las docenas (quizá más) de pinturas por entregas que representaban la conquista de México. La mayoría de estas series se encontraban en uno de estos tres formatos: conjuntos de entre 20 y 24 paneles llamados «enconchados» (o 'incrustaciones de conchas', por el mosaico de madreperlas que había alrededor de los bordes); los grupos de entre 4 y 20 paneles plegables llamados «biombos» (véase Figura 3), y grupos de pinturas narrativas (como la colección Kislak, un conjunto de ocho lienzos al óleo). Durante décadas, los estudiosos consideraron estas imágenes expresiones de un protonacionalismo mexicano. Sin embargo, recientemente el historiador del arte Michael Schreffler ha propuesto de manera convincente que «su representación de la narrativa [de la conquista] glorifica (más que reemplaza) la autoridad de la monarquía española en Nueva España». La popularidad de las pinturas de la conquista de México no anticipaba la resistencia al control imperial que hubo siglos después, sino que era, por el contrario, una prueba de la creciente apropiación de la conquista y sus conquistadores por parte del imperialismo español.

El apogeo de todo este arte –los enconchados, biombos y pinturas murales– se produjo al final del siglo xvii. Durante décadas fueron como los hermanos visuales de las triunfalistas versiones de la historia de la conquista en boga en aquella época. Entre estas historias, la más notable e influyente fue la nueva versión oficial de la conquista de México escrita por Antonio de Solís y Rivadeneyra, cronista de los reyes Felipe IV y Carlos II. Publicada por primera vez en 1684, la *Historia de la Conquista de México* comenzaba con un ataque dirigido a los primeros historiadores de la conquista española, en cuyas obras encontraba

> grande osadía y no menor malignidad para inventar lo que quisieron contra nuestra nación, gastando libros enteros en culpar lo que erraron algunos para deslucir lo que acertaron todos.

Al glorificar a Cortés y los hechos heroicos de otros capitanes y «soldados», Solís habla con la boca pequeña acerca del espíritu conquistador de iniciativas y empresas individuales. El individualismo que en realidad se encuentra en el corazón de la cultura del conquistador fue definitivamente enterrado por Solís, oscurecido detrás de su reconstrucción de la conquista como un logro de Carlos V y una manifestación directa de su imperio en el Nuevo Mundo. En el siglo XVI, la cultura del conquistador siempre había fomentado un desprecio apenas disimulado hacia la autoridad imperial, una deslealtad potencial que se asentaba sobre la fina línea que había entre la amargura y el enfado de Bernal Díaz y Vargas Machuca, y la brutal rebelión de Gonzalo Pizarro y Lope de Aguirre.

Aquella tensión había desaparecido de la historia en el momento en que escribió Solís. También estaba ausente cuando los españoles de aquel tiempo reivindicaban el legado de los conquistadores. Un ejemplo es don Martín de Ursúa y Arizmendi, un noble vasco que procedía de una larga estirpe de conquistadores y que acabó su carrera como gobernador de las Filipinas (donde murió en 1715). Ursúa pudo haber leído la historia de Solís a finales de la década de 1680, cuando era un ambicioso abogado y funcionario colonial en Ciudad de México. En 1692, cuando fue nombrado gobernador del Yucatán, había concebido un plan para seguir los pasos de Cortés y conquistar el Itzá maya.

El reino itzá había sobrevivido y prosperado en la selva tropical desde que Cortés había pasado por él en 1525, entre las colonias españolas del Yucatán y el altiplano de Guatemala. En 1692, Ursúa le dijo al rey que su «pacificación» sería «la empresa más gloriosa del servicio de Dios y de Vuestra Majestad en que puedo emplearme». En la tradición de los primeros conquistadores, la época de su antepasado Pedro de Ursúa (que encontró una muerte violenta en Perú en 1560), don Martín insistía en que la campaña sería financiada por inversores privados y no le costaría nada al rey; el papel de la Corona sería recompensar a Ursúa con títulos apropiados y posiciones lucrativas una vez que éste hubiese aumentado el dominio del rey. En palabras del historiador actual Grant Jones, «Ursúa se veía a sí mismo, en efecto, como un conquistador tardío».

Ursúa era un imitador barato de Cortés. Era conquistador de nombre, pero no de espíritu. Se trataba, en realidad, de un burócrata privilegiado que sabía cómo funcionaba el sistema imperial. Arriesgó poco, se relacionó con habilidad y logró numerosos ascensos. Su socio en Campeche tenía un hermano en el Consejo de Indias. Contrajo matrimonio con una rica heredera de familia de conquistadores del Yucatán y empleó su fortuna para financiar su conquista del reino itzá. Exprimió sin piedad a la población maya del Yucatán, presionando para aumentar los niveles del sistema de explotación económica desarrollado por sus predecesores, y utilizó los beneficios para comprarse el título de conde de Lizárraga. Su carrera reflejó las características de autopromoción y ambición personal propias del conquistador, pero sin el sufrimiento y el sacrificio, sin el borde áspero de desagrado y deslealtad potencial. Pedro, el antepasado de Ursúa, había sido asesinado por otros españoles en el Amazonas peruano, el tipo de destino que jamás estuvo escrito en las cartas de don Martín.

Conquistadores tardíos

Los conquistadores han sido retratados como un fenómeno abrumadoramente español, como de hecho fueron. Incluso los conquistadores negros e indígenas lo fueron porque actuaron dentro del ámbito español en América. Pero los conquistadores formaron parte de un fenómeno mayor de exploración, invasión, conquista y colonización de las Américas. ¿Se podría afirmar, entonces, que los conquistadores fueron únicamente la manifestación inicial de un modelo de invasión extranjera que va desde la primera travesía del Atlántico hasta el presente? ¿Deberíamos contemplar a don Martín de Ursúa, en su calidad de conquistador tardío, como un eco final de los conquistadores originarios, como una coda a la cultura del conquistador, o fue un ejemplo temprano de la cultura de los conquistadores modernos que duraría varios siglos? ¿Es la cultura de los conquistadores una parte del fenómeno, todavía vigente, de conquista de las Américas, que se extiende desde Colón y Cortés hasta los británicos y los franceses, desde Alaska hasta Patagonia, desde la guerra entre México y Estados Unidos hasta la guerra de las Malvinas? ¿Han estado los europeos y euro-americanos intentando subyugar a los indígenas americanos durante los últimos cinco siglos?

Sin duda podemos plantear estas cuestiones más complejas y que reflejan pinceladas más amplias de la historia del Nuevo Mundo, pero dependen de generalizaciones y generosas dosis de retórica, mientras ignoran el papel central del individualismo en la cultura del conquistador. Podríamos dar un paso a un lado –mejor que adelante– para contemplar las actividades de ingleses, escoceses, franceses y otros europeos en las Américas durante los siglos xvi y xvii, y así comprender mejor a los conquistadores en el mundo español. Estas comparaciones están fuera del ámbito de este libro, pero han comenzado a hacer fortuna entre los estudiosos del imperio en las Américas de los primeros siglos de conquista. Sin embargo nos encontramos con un problema de inicio: la nación-estado creció rápidamente dentro de estos imperios, y después del siglo xvi es cada vez más el estado el que formula y guía las actividades de «conquista». En los siglos siguientes hasta hoy en día, estas actividades son, en su inmensa mayoría, intervenciones, invasiones, guerras abiertas, guerras encubiertas o guerras por poderes manejadas por gobiernos nacionales.

Para encontrar ejemplos de individuos que bien podrían caracterizarse con razón como conquistadores tardíos o modernos, debemos fijar nuestra mirada en las orillas, no en la corriente principal, de la historia de las Américas.

Allí encontraremos hombres como el tristemente célebre «filibustero» William Walker. Como individuo ambicioso y con visión, no como representante del gobierno de los Estados Unidos, Walker recaudó fondos y reclutó hombres para poner en marcha unas expediciones de conquista en México y Centroamérica. Al igual que un conquistador del siglo xvi que reclamaba territorios que presuntamente se convertirían en provincias del imperio español, Walker modeló nuevas repúblicas que, se suponía, se convertirían en estados de los Estados Unidos. En 1853 marchó a la Baja California con 45 hombres, fundando lo que dio en llamar la República de la Baja California. A aquel estado, en gran medida imaginario, le siguió en 1854 la República de Sonora y, dos años más tarde, la República de Nicaragua.

Se ha estudiado a Walker como un ejemplo curioso –incluso como *exemplum*– del deseo imperial norteamericano del siglo xix, de la doctrina del destino manifiesto fuera de control y del desarrollo de la virilidad americana moderna. No fue un caso único en aquella época; hubo al menos otra docena de filibusteros comprometidos a mediados de siglo en empresas similares en México, América Central y Cuba. Pero resulta difícil no ver los paralelos con los conquistadores. Como ha afirmado Brady Harrison, un estudioso del legado de Walker en la literatura y el cine americanos, el «Rey de los filibusteros» era un «conquistador curioso y despiadado», una descripción que podría aplicarse a muchos españoles del siglo xvi.

Walker se declaró en varias ocasiones «presidente de una república que no existía en un territorio que no controlaba» (en palabras de Harrison), igual que, tres siglos atrás, Cortés y sus compatriotas habían creado consejos ciudadanos para ciudades que no existían, fundaron ciudades en colonias imaginarias e inventaron títulos de gobierno sobre reinos indígenas que no habían sometido. La diferencia es que Walker se convirtió en símbolo de una política exterior fracasada, mientras que Cortés se convirtió en el símbolo del triunfo del imperialismo. La república de Walker fue una quimera. No hubo miles de americanos que colonizasen Nicaragua, ni el gobierno norteamericano en Washington le confirmó en su cargo como gobernador de un nuevo estado de la Unión. Lo que selló el destino y el legado de Cortés para que fuese distinto del de William Walker –o del de Lope de Aguirre– no fueron tanto las acciones de esos hombres como el impacto de los compatriotas y las instituciones imperiales que los siguieron.

Conclusión

En 1533, un grupo de varias docenas de esclavos negros naufragó frente a las costas de lo que actualmente es Ecuador. Fueron arrastrados hasta la playa, desprovistos de todo, desaliñados y con poco o nada que les valiese como víveres o armamento. Alonso de Illescas asumió rápidamente el mando de los náufragos; había sido esclavo en Sevilla, donde se convirtió al cristianismo y adquirió los rudimentos, al menos, de la cultura española. En cuestión de meses, estableció una relación privilegiada con el jefe indígena del lugar, se casó con su hija y se convirtió en su heredero. Antes de sucederle en la jefatura, Illescas y sus compañeros ayudaron a los indígenas en sus guerras contra tribus vecinas y actuaron, de hecho, como guardaespaldas de su jefe.

Los colonos españoles en Quito –la ciudad española más cercana– se esforzaron por llegar a un entendimiento con «el rey negro de las Indias», como le llamaban. A veces enviaron misiones diplomáticas para intentar conseguir su consentimiento para construir una vía desde Quito hasta el puerto que controlaba, y otras veces enviaron ejércitos que intentaron infructuosamente someterlo. Illescas obtuvo el título de gobernador concedido por el rey de España, y prosperó notablemente en su dignidad sin sacrificar ni un ápice de su independencia.

El pequeño estado que creó se fragmentó a su muerte en una serie de «reinos» insignificantes gobernados por los descendientes de sus lugartenientes negros. En 1599, en Quito, el pintor Andrés Sánchez Gallque retrató a uno de ellos, don Francisco de Arove, junto a sus hijos, con ocasión de su visita para ser investido con el rango del gobernador real (véase Figura 9). Los tres funcionarios negros aparecen suntuosamente ataviados, en el colmo de la moda aristocrática, con unas gorgueras tan lujosas que las estrictas leyes suntuarias las hubieran prohibido en España. En sus orejas y narices llevan adornos de oro del tipo del que los indígenas reservaban para sus gobernantes y las representaciones de sus dioses. En unos pocos años, los funcionarios de Quito se quejarían de que los funcionarios negros seguían tan intratables y recalcitrantes como siempre. Sus pequeños reinos sobrevivieron, realmente independientes, durante muchas generaciones.

Figura 9. Los conquistadores negros de Esmeraldas. Don Francisco de Arove, de cincuenta y seis años, con dos de sus hijos, don Pedro, de veintidós, y don Domingo, de dieciocho, pintados y rotulados en 1599 por un artista de Quito, Andrés Sánchez Gallque, para Felipe III, identificado como «Rey de España y las Indias». Los tres líderes cimarrones sostienen lanzas de madera de palmera y punta de hierro, y llevan adornos de joyas de oro, jubones, ponchos, capas de seda y gorgueras blancas, toda una mezcolanza de paños y estilos de China, Europa y los Andes.

La historia recuerda, en miniatura, las de otros conquistadores españoles mejor conocidos, incluso famosos. Llegan como extranjeros sin ninguna ventaja evidente que pareciese destinarlos al poder. Se convierten en algo útil en virtud del «efecto extranjero»: su independencia de las tradicionales divisiones indígenas los hace ideales para funciones de guardaespaldas y socios matrimoniales de las élites, y su habilidad en la batalla los hace deseables como aliados. Ejercen la influencia de árbitros apreciados. La sociedad indígena los recibe con hospitalidad y los recompensa con tributos, servicios y, al final, con el poder. Proporcionan un nivel adicional de liderazgo, suplementando, sustituyendo u ocupando un lugar por encima de las élites tradicionales sin eliminar por completo las estructuras existentes. Su éxito no se debe a su superior armamento, o a los caballos, ni a ninguna ventaja intelectual o moral, ni al error de los indígenas que los confunden con dioses. Por el contrario, surge de elementos muy asentados en la cultura indígena.

La trayectoria hasta el poder de don Francisco de Arove y sus colegas fue la de muchos o la mayoría de conquistadores españoles, cuyas carreras parecen imitar o simular. También ellos son conquistadores y, quizá, son tan representativos a su manera como cualquiera de aquellos a los que los documentos históricos han concedido el honor del recuerdo, desde los más obvios como Cortés y Pizarro hasta otros menos evidentes, como Ursúa y Vargas Machuca. La categoría de conquistador es todavía mayor, pues incluye a protagonistas tan poco convencionales como Catalina de Erauso y don Francisco de Montejo Pech. Sólo considerando esta categoría como inclusiva, y apreciando la naturaleza expansiva de la cultura del conquistador en las Américas, podremos entender completamente el fenómeno de los conquistadores, la conquista española y la civilización latinoamericana.

Lecturas adicionales

Este ensayo bibliográfico presenta únicamente obras en inglés, incluye las grandes fuentes publicadas utilizadas en la redacción de este libro y disponibles en traducción (pero no obras no traducidas ni fuentes de archivo no publicadas) y se inclina por ediciones y estudios más accesibles.

Un ejemplo de una introducción adicional o historia general de los conquistadores, más allá de este libro, es *Seven Myths of the Spanish Conquest,* de Matthew Restall (Nueva York: Oxford University Press, 2003). *The Conquistador, 1492-1550,* de John Pohl (Oxford: Osprey, 2001), dirigido a lectores de bachillerato y licenciatura, cuenta con buena información e ilustraciones. Historias más amplias accesibles sobre el ascenso del imperio español que prestan una atención considerable a los conquistadores en las Américas se encuentran en *Empire: How Spain Became a World Power, 1492-1763,* de Henry Kamen (Nueva York: HaperCollins, 2004) y en la legible pero anticuada «Trilogía del Imperio Español» de Hugh Thomas *(Rivers of Gold,* 2003, y *The Golden Age,*

2010, son los dos títulos publicados hasta la fecha), además de su anterior *Conquest: Cortes, Montezuma and the Fall of Old Mexico* (Nueva York: Simon & Schuster, 1995). Las exploraciones y conquistas españolas están situadas en contextos hemisféricos y globales, respectivamente, en *The Americas: A Hemispheric History* (Random House, 2003) y *Pathfinders: A Global History of Exploration* (Nueva York: Norton, 2006), ambas de Felipe Fernández-Armesto. También son relevantes otros libros de Fernández-Armesto sobre aspectos concretos de este tema, entre ellos *Columbus* (1991, pero disponible en varias ediciones), *1492: The Year the World Began* (Nueva York: HarperOne, 2009) y *Amerigo: The Man Who Gave His Name to America* (Nueva York: Random House, 2007).

Sobre la América indígena en vísperas de la conquista, véase Charles C. Mann, *1491: New Revelations of the Americas Before Columbus* (Nueva York: Knopf, 2005), para una visión de conjunto magistral; y para estudios más específicos, véase Terence N. D'Altroy, *The Incas* (2003), y Michael E. Smith, *The Aztecs* (2002), ambos en la serie «Peoples of America» de Wiley-Blackwell, así como *The Fall of the Ancient Maya: Solving the Mystery of the Maya Collapse,* de David Webster (Nueva York: Thames & Hudson, 2002).

La discusión sobre Jiménez de Quesada se ha tomado del mejor libro sobre su expedición de 1536-1539, el de J. Michael Francis, *Invading Colombia: Spanish Accounts of the Gonzalo Jiménez de Quesada Expedition of Conquest* (University Park: Penn State University Press, 2007). Éste es el primer volumen en la serie de originales latinoamericanos; los primeros cuatro libros de la serie ofrecen nuevas perspectivas sobre la conquista española, y todos ellos han sido utilizados en la redacción de esta obra. Los otros tres son: Matthew Restall y Florine Asselberg, *Invading Guatemala: Spanish, Nahua, and Maya Accounts of the Conquest Wars* (2007); Carlos A. Jáuregui, *The Conquest on Trial: Carvajal's Complaint of the Indians in the Court of Death* (2008), y Kris Lane, *Defending the Conquest: Vargas Machuca's Apologetic Discourses* (2010).

Se han utilizado aquí varias ediciones excelentes de fuentes primarias, publicadas en traducciones, escritas por conquistadores y otros españoles. La edición clásica de la narración de Bernal Díaz del Castillo es *The Conquest of New Spain* (Nueva York: Penguin, 1963), pero resulta más útil *The History of the Conquest of New Spain,* editada por David Carrasco (Albuquerque: University of New Mexico Press, 2009). También son recomendables: James Lockhart y Enrique Otte, *Letters and People of the Spanish Indies* (Cambridge, Cambridge University Press, 1976); Hernán Cortés, *Letters from Mexico,* editado por Anthony Pagden (New Haven, CT: Yale University Press, 1986); Catalina de Erauso, *Lieutenant Nun: Memoir of a Basque Transvestite in the New World,* traducido por Michele y Gabriel Stepto (Boston: Beacon, 1996); Pedro de Cieza de León, *The Discovery and Conquest of Peru,* editado por Alexandra Parma Cook y Noble David Cook (Durham, NC: Duke University Press, 1998); Bartolomé de las Casas, *An Account, Much Abbreviated, of the Destruction of the Indies,* editado por Franklin Knight, traducido por Andrew Hurley (Indianápolis, IN: Hackett, 2003); Bernardo de Vargas Machuca, *The Indian Militia and Description of the Indies,* editado por Kris Lane, traducido por Timothy Johnson (Durham, NC: Duke University Press, 2008).

Igualmente se han editado traducciones inglesas de otros informes españoles escritos en el siglo xvi y dedicados, por completo o parcialmente, a acontecimientos de la conquista. Entre ellos se encuentran los relatos de frailes –cuya preocupación tiene que ver sobre todo con la conquista espiritual, como Diego Durán, Diego de Landa y Toribio Motolinia– y relatos tanto de conquistadores, como Juan de Betanzos, Alvar Núñez Cabeza de Vaca y Pedro Pizarro, como de cronistas españoles que no combatieron en el Nuevo Mundo, tales como Francisco López de Gómara y Agustín de Zárate.

Las traducciones inglesas de relatos indígenas sobre las guerras de conquista (algunos escritos originariamente en español, otros en diferentes lenguas indígenas) incluyen la de Stuart B. Schwartz, ed., *Victors and Vanquished: Spanish and Nahua Views of the Conquest of Mexico* (Boston: Bedford/St. Martin's, 2000), que yuxtapone de forma nítida los informes españoles, especialmente el de Bernal Díaz (en la excelente traducción de Maudslay), con relatos nahuas y de otros grupos indígenas, en la magnífica traducción de James Lockhart, cuyo texto completo se puede encontrar en su *We People Here: Nahuatl Accounts of the Conquest of Mexico* (Berkeley: University of California Press, 1993); y Matthew Restall, *Maya Conquistador* (Boston: Beacon Press, 1998), que presenta narraciones mayas sobre la conquista del Yucatán (y que hemos utilizado en este libro como base para los comentarios acerca de los puntos de vista del Yucatán maya). Una selección de fuentes primarias relevantes para este libro la encontramos en el capítulo primero de Matthew Restall, Lisa Sousa y Kevin Terraciano, *Mesoamerican Voices: Native-Language Writings from Colonial Mexico, Oaxaca, Yucatan, and Guatemala* (Cambridge: Cambridge University Press, 2005). Un historiador nahua, Domingo Francisco Chimalpahin Cuauhtlehuanitzin, escribió su propia versión a comienzos del siglo xvii sobre el relato de la conquista de México que había escrito López de Gómara; recientemente ha sido publicado por primera vez en inglés como *Chimalpahin's Conquest,* editado por Susan Schroeder et al. (Stanford, CA: Stanford University Press, 2010). Hay dos magníficas ediciones recientes en inglés de un texto inca sobre la conquista del Perú, el de Diego de Castro Yupanqui: una edición es la de Ralph Bauer, *An Account of the Conquest of*

Peru (Boulder: University Press of Colorado, 2005); la otra es de Catherine Julien, *History of How the Spaniards Arrived in Peru* (Indianápolis, Hackett, 2006).

Hay muchas obras secundarias accesibles que tratan aspectos de la conquista española. Entre ellas destaca la de Inga Clendinnen, *Ambivalent Conquests: Maya and Spaniard in Yucatan, 1517-1570* (Cambridge: Cambridge University Press, 2.ª ed., 2003), que forma buena pareja con las obras de Restall, *Maya Conquistador;* el estudio de Grant Jones sobre la destrucción española de los itzá, *The Conquest of the Last Maya Kingdom* (Stanford, CA: Stanford University Press, 1998), y los libros de Anna Lanyon, *Malinche's Conquest* y *The New World of Martin Cortes* (publicados originalmente en Australia por Allen & Unwin, en 2000 y 2004 respectivamente). Un estudio más erudito, pero también legible, de la Doña Marina/Malinche histórica está en la obra de Frances Karttunen, *Between Worlds: Interpreters, Guides, and Survivors* (New Brunswick, NJ: Rutgers University Press, 1994). Un estudio reciente sobre las invasiones españolas en México occidental es el de Ida Altman, *The War for Mexico's West: Indians and Spaniards in New Galicia, 1524-1550* (Albuquerque: University of New Mexico Press, 2010). Los estudios sobre la conquista que subrayan los papeles y perspectivas de los indígenas incluyen el de Stephanie Wood, *Transcending Conquest: Nahua Views of Spanish Colonial Mexico,* y los ensayos en *Indian Conquistadors: Indigenous Allies in the Conquest of Mesoamerica,* editados por Laura Matthew y Michel Oudijk, ambos publicados por la University of Oklahoma Press (2003 y 2007). Véanse también los diversos estudios de Serge Gruzinski, en especial su *Painting the Conquest: The Mexican Indians and the European Renaissance* (París: Flammarion, 1992). También resulta útil aquí el estudio de Michael Schreffler, *The Art of Allegiance: Visual Culture and Imperial Power in Baroque New Spain*

(University Park: Penn State University Press, 2007). Para ampliar el tema de cómo encajan las conquistas de México y Yucatán en la historia del Apocalipsis, véase Matthew Restall y Amara Solari, *2012 and the End of the World: The Western Roots of the Maya Apocalypse* (Lanham, MD: Rowman & Littlefeld, 2011).

Sobre los Andes y otras regiones de Sudamérica, incluida la discusión sobre los cimarrones de Esmeraldas, recomendamos especialmente *Quito 1599: City and Colony in Transition,* de Kris Lane (Albuquerque, University of New Mexico Press, 2002). Kris Lane es también el primer historiador de Vargas Machuca y su mundo, y en este libro se han expuesto las intuiciones que Lane presenta en los dos volúmenes de Vargas Machuca mencionados más arriba. *The Conquest of the Incas,* de John Hemming, fue publicado por primera vez en 1970, pero sigue siendo una lectura apasionante (disponible en varias ediciones). El libro de James Lockhart, *The Men of Cajamarca: A Social and Bibliographical Study of the First Conquerors of Peru* (Austin: University of Texas Press, 1972), sigue siendo la mejor y más detallada biografía colectiva de cualquier expedición de conquista. Una introducción accesible a la vida de Francisco Pizarro es la obra de Stuart Stirling, *Pizarro: Conqueror of the Inca* (Stroud, RU: Sutton, 2005). Un estudio importante y académico es el de Caroline A. Wiiliams, *Between Resistance and Adaptation: Indigenous Peoples and the Colonisation in the Chocó, 1510-1753* (Chicago: University of Chicago Press, 2005). El libro de Stephen Minta, *Aguirre: The Re-creation of a Sixteenth-Century Journey Across South America* (Nueva York: Henry Holt, 1994), es de fácil lectura.

Hay una abundante literatura sobre Walter y otros filibusteros, pero aquí se ha empleado especialmente a Brady Harrison, *Agent of Empire: William Walker and the Imperial Self in American Literature* (Athens: University of Georgia Press, 2004), y a Amy S. Greenberg, *Manifest Manhood and the Antebellum American Empire* (Cambridge: Cambridge University Press, 2005).

Por último, para ampliar la información sobre el «efecto extranjero» y una introducción a la literatura antropológica y sociológica relevante, véase Felipe Fernández-Armesto, «The Stranger-effect in Early Modern Asia», en *Shifting Communities and Identity Formation in Early Modern Asia,* editado por Felipe Fernández-Armesto y Leonard Blussé (Leiden: Leiden University Press, 2003).

Lista de ilustraciones

Págs. 14-15 — Figura 1. Mapa. Las Américas de los conquistadores. Basado en un croquis de Matthew Restall, el mapa apareció por primera vez en *The Encyclopedia of War,* ed. Gordon Martel (Oxford: Wiley-Blackwell, 2011), reproducido con permiso.

Pág. 20 — Figura 2. Retrato de Gonzalo Jiménez de Quesada.

Págs. 30-31 — Figura 3. Los caballos blancos de Hernán Cortés.

Págs. 56-57 — Figura 4. Francisco Pizarro y Diego de Almagro. Tomado del manuscrito Guaman Poma (GKS 2232 4.º), dibujos 148 (373) y 165 (412), reproducidos con el permiso de la Librería Real, Copenhague, Dinamarca.

Pág. 75 — Figura 5. Fachada del Palacio Montejo. Fotografía de Matthew Restall.

Pág. 79 — Figura 6. Muerte de Pedro de Alvarado.

Pág. 103 — Figura 7. Conquistadores tlaxcaltecas.

Págs. 152-153 — Figura 8. Bernardo de Vargas Machuca y Felipe II. La versión de la imagen del monarca español es de dominio público; la imagen de Vargas Machuca se ha reproducido con permiso de la Biblioteca John Carter Brown de la Universidad Brown.

Pág. 165 — Figura 9. Los conquistadores negros de Esmeraldas. Reproducida con el permiso del Museo de América, Madrid.

Índice analítico

abogados, 16, 18, 43, 76, 159; *véase también* leyes
adelantado, 22, 48, 75, 77, 105
África, 45, 55, 58, 72, 111
  conquistadores africanos, *véase* conquistadores negros
  esclavos africanos, 10, 17, 55, 58, 99
  África occidental, 40, 42
Aguirre, Lope de, 80-82, 94, 148, 155, 158, 163
Ah Chan (Martín Chan), 65
Alaska, 161
Alemania, alemanes, 140
alfabetización, 93,
aliados indígenas, 10, 49-53, 64, 74, 76, 86-88, 101-105, 107, 121, 123, 127-129, 132, 136, 138, 144, 146, 165
alimentación, 32, 36, 49-50, 58, 89, 130
Almagro, Diego de (padre), 55-56, 60, 77
Almagro, Diego de (hijo), 56, 77
Altman, Ida, 81
Alvarado, familia, 73-74, 104,
Alvarado, Jorge de, 63, 104, 106, 134
Alvarado, Pedro de, 27, 52, 54, 60, 63-64, 71, 73-74, 76, 78-81, 98, 103-105, 119, 125, 127, 134
Amazonas, río, 35, 81, 94, 160
analfabetismo, 72, 83, 92-93
Andalucía, andaluces, 92
Andes, andinos, 10, 25, 32-33, 35, 38, 56, 58-59, 85, 90, 119, 129, 132, 165
Aragón, aragoneses, 24, 40
arahuacos, pueblo, 46
Arauca (río), araucanos, 67, 96; *véase también* mapuches
arcabuces, 87; *véase también* artillería y armas de fuego
Argentina, 68
Arkansas, 77
armaduras, 20, 49, 79, 84-85, 118-119
  de algodón, 119, 130

armamento (armas), *véase* arqueros y flechas; armadura; artillería y armas de fuego; ballestas; perros de guerra; lanzas; mosquetes; obsidiana, armas de; espadas
armas de fuego, *véase* artillería; y armas de fuego
Arove, don Francisco de, e hijos, 164-165
arqueros y flechas, 87, 106, 148
artesanos como conquistadores, 91-92
artillería y armas de fuego, 49, 52, 58, 68, 87-88, 92, 111, 118, 145
Asia, 39, 45, 111
  Sudeste Asiático, 42, 111, 141
Atahaulpa, 25, 37-38, 58-59, 77, 113
Atlántico, océano, 10, 27, 33, 39, 45, 55, 87-88, 110-111, 160
Audiencia, 82
augurios y presagios, 115-116
auxiliares indígenas, 17, 23, 99, 101; *véase también* aliados indígenas
Ayusa, Jerónimo de, 43
aztecas, imperio, 17-18, 32-38, 59, 63, 66-67, 104-105, 110, 115, 117, 123, 127-128, 130
  conquista española, 29, 49-53, 70, 72-73, 88, 99, 101-102, 105, 113, 120, 133, 149, 156
  sometidos a los españoles, 46, 53-54, 64, 107, 133-134, 137-138, 145
  razones de su derrota, 115-116, 124
  poesía, 123-124
  vestimenta y armamento, 85, 87, 119, 130
azúcar, 40, 45

Bacalar, 65
Badajoz, 73
Baja California, 99, 162
Balboa, Vasco Núñez de, 55
balleneros, 39
ballestas, 87, 118
barba, 20, 58, 79
barberos, 91
barcos y tráfico naval, 111, 120
  naufragios, 82, 94, 163
Barquisimeto, 81
Belice, 66
Benalcázar, Sebastián de, 60
biombos, 28, 30, 85, 157
Bogotá, ciudad, 17, 93
Bogotá, jefe muisca, 42-43
Bolivia, 80, 96
Brevísima relación de la destrucción de las Indias (Las Casas), 150-151

caballería, ideal de, 25, 40, 117, 154-155
caballos, 29- 30, 49, 55, 58, 78, 84, 86, 97, 119-120, 145, 147-148, 166
  adaptados por los indígenas, 68, 120
Cabeza de Vaca, Álvar Núñez, 71, 94
Cajamarca, 58, 77, 83-84, 91, 113, 138
Cali, 60
calzado, 85
Campeche, 159
Canarias, islãs, 16, 40, 45, 62, 83, 110
canibalismo, 112
canoas, 52
cañaris, pueblo, 135
cañón. *véase* artillería y armas de fuego
cakchiquel, pueblo maya, *véase* kaqchiquel
Caribe, mar, 16, 41, 61, 65, 72, 92
  conquista española, 45-47, 51, 120, 149

Carlos I, rey de España (emperador como Carlos V), 18, 58, 61, 70, 78, 156, 158
Carlos II, rey de España, 158
carreteras, 36
cartas, 19, 24, 26-29, 51, 72, 81-82, 88, 90, 105, 107, 126, 160
Carvajal, Michael de, 80, 89
cascos, 20, 29, 85
Castilla, castellanos, 10, 24, 40-42, 45, 92, 126-127
catolicismo, 24, 41, 151; *véase también* cristianismo
caza, 46
Centroamérica, *véase* Mesoamérica
Cervantes, Miguel de, 155-156
chanca, pueblo, 34
checa, pueblo, 135-136
Chile, 35, 67-68, 95-96
Chimor, 135
China, 110-111, 165
Chipman, Donald, 81
Chocó, 66
chol, pueblo, 66
Cholula, 50, 104, 138
cimarrones, 143, 165
citarás, 66
Ciudad de México, 30, 54, 99, 106, 156, 159; *véase también* Tenochtitlan
ciudades, 16, 18, 41-42, 48, 50-52, 91, 96, 101-102, 164
  consejos ciudadanos, 48, 93, 163
  indígenas, 32, 35-36, 38, 46, 63, 77, 102, 104-106, 127, 130, 133, 135
  véase también cada ciudad concreta
clima, 49, 85, 109, 111, 118
coatequitl, 36; *véase también* tributos e impuestos
Cochabamba, 135
Cocom, linaje, 131
Códice Telleriano-Remensis, 79
Colombia, 13, 16-18, 20-21, 42, 60-62, 66, 91-92, 151; *véase también* Nueva Granada
Colón, Cristóbal, 10, 27, 33, 40, 42, 45-46, 87, 94, 149, 161
comercio, comerciantes, 24, 42, 53, 89-92, 149
comida, *véase* alimentos
conquista española,
  aztecas, 29, 49-53, 70, 72-73, 88, 99, 101-102, 105, 113, 120, 133, 149, 156
  Caribe, 45-47, 51, 120, 149
  Cuba, 46, 55, 72-73, 99
  Colombia, 13, 16-18, 20-21, 42-43, 60-62, 66, 91-92, 151
  Guatemala, 27, 54, 60, 64, 73-74, 104-105, 119, 125-126, 132-134, 136
  incas, 16, 25, 29, 46, 55-56, 58-60, 66, 70, 72, 74, 77, 80, 89, 109, 113, 115, 118, 124-125, 136, 138
  mayas, 27, 54, 62-66, 74-75, 100, 102, 105, 127, 131, 134, 159
  México, 10, 19, 27, 30, 37, 48-50, 52, 55, 58-59, 73-76, 88, 92-93, 95, 99, 103, 118, 120-122, 127-130, 132-133, 138, 154, 157-158, 162
  Nueva Galicia, 74
  Nuevo México, 67, 136
  Panamá, 73, 91-92
  Yucatán, 54, 63-64, 73-74, 76, 91-92, 101, 104, 131-134
conquistadores indígenas, *véase* aliados indígenas
conquistadores negros, 10, 21-23, 99-100, 143, 163-165
conversión de indígenas, *véase* cristianismo
Corona española, 19, 21, 28, 41, 45, 47, 60-61, 82, 89, 95-96, 105,

125, 150, 159; *véase también* España
Cortés, Hernán, 18-29, 28, 70-72, 74, 78, 86, 93-95, 98, 110, 114, 128, 154-156, 158-159, 161, 163, 166
cartas al rey, 19, 27, 88
y la conquista de México, 48-52, 54, 73, 75, 88, 105, 120-121, 128-129, 138, 154
y Santiago, 29-30
Cortés, Martín, 71
Cozumel, 48
cronistas del rey, 28, 93, 110, 158
cristianismo, 24, 40, 43, 94-95, 100, 105, 124, 126, 154, 163
conversión de indígenas, 24-26, 41, 45-46, 67, 113
Cuauhtémoc, 54
Cuba, 48, 52, 75, 77, 150, 162
conquista española, 46, 55, 72-73, 99
Cuzco, 29, 34-35, 59-60, 77, 115, 136

Dávila, Pedrarias, 89
Defensa de las conquistas occidentales (Vargas Machuca), 154
demografía, *véase* población
Díaz del Castillo, Bernal, 19, 27, 69-70, 93, 98, 104, 117, 148, 158
dioses indígenas, *véase* religiones indígenas
conquistadores no vistos como, 58, 115-116, 141, 166
dominicos, frailes, 47; *véase también* Las Casas
Don Quijote de la Mancha, véase *El ingenioso hidalgo Don Quijote de la Mancha*

Ecuador, 35, 60, 163
Edad Media, 16, 22, 40, 75
«efecto-extranjero», 140, 143-144, 165
El Dorado, 61, 98, 154
El ingenioso hidalgo Don Quijote de la Mancha (Cervantes), 155
Elliot, J. H., 115-116
encomenderos, *véase* encomiendas
encomiendas, 48, 73, 76, 78, 90, 96, 105-107, 150
definición, 61
enconchados, 157
enfermedades, 17, 21, 37, 49, 77, 97, 112
entre los indígenas, 47, 64, 66, 121-123, 145-146; *véase también* viruela
Erauso, Catalina de, 96-98, 148-149, 155, 166
esclavos,
africanos, 17, 42, 55, 58, 66, 143
cimarrones, 10, 23, 99-100, 143, 163-165
de indígenas, 94, 128
indígenas, 17, 41, 46, 51, 66, 101, 107-108
prohibición de la esclavitud, 45, 61, 150
escoceses, 161
esmeraldas, 17
Esmeraldas, región, 165
espadas, 49, 58, 68, 86, 91, 145-146
sables, 86
de obsidiana, 103
espaderos, 86, 91
España, 10, 16, 26, 40-41, 85, 93, 109-110, 113, 155, 164
imperio español, 110-112, 137-138
esposas, 60, 77, 92, 104, 142; *véase también* matrimonios
Estados Unidos, 54, 71, 161-162
explicaciones de la conquista española, 37-39, 123-128, 137-146
de los españoles, 113-123
Extremadura, extremeños, 71-73, 92

Farsalia (Lucano), 116
Felipe II, rey de España, 125, 152-153, 156
Felipe III, rey de España, 165
Felipe IV, rey de España, 158
Fernández de Oviedo, Gonzalo, 28
Fernando el Católico, rey de Aragón, 28
filibusteros, 162
Filipinas, 54, 111, 159
flamencos, 40, 92
Florida, 77
franceses, 111, 122, 140, 143, 161
franciscanos, frailes, 116
fuego, ceremonia azteca, 117

Garrido, Juan, 99-101
Gellhorn, Martha, 100
Genova, genoveses, 27, 45, 92
Granada, reino, 40, 111
Grandes Lagos, 122
Grecia, griegos, 92, 124
Guatemala, 66, 106-107, 119, 126, 150, 159
  conquista española, 27, 54, 60, 64, 73-74, 104-105, 119, 125-126, 132-134, 136
Guevara, Isabel de, 96-97
Guzmán, Nuño de, 81, 103

hambrunas y hambre, 13, 17, 21, 52, 62, 107, 114, 122, 144
Hardy, Thomas, 137
Harrison, Brady, 162-163
Helms, Mary, 141
herreros, 91
Historia de la Conquista de México (Solís y Rivadeneyra), 158
Historia de los Judíos (Josefo), 116
Historia verdadera de la conquista de la Nueva España (Díaz del Castillo), 27
Holanda, holandeses, 140, 143
Honduras, 54, 74, 76, 105, 136
Huarochirí, 135
Huascar, 37, 58-59
Huayna Capac, 37, 58, 135
Huitzlopochtli, 33

Illescas, Alonso de, 163-164
impuestos, *véase* tributos
incas, 17-18, 32-38, 63, 67, 87, 110, 116, 123, 134-137
  en Vilcabamba, 10, 60, 118, 124
  conquista española, 16, 25, 29, 46, 55-56, 58-60, 66, 70, 72, 74, 77, 80, 89, 109, 113, 115, 118, 125, 136, 138
«imperialismo ecológico», 35, 124, 134
India, 111
Indias, 72, 76, 89, 148-149, 155, 164-165
Índico, océano, 42
indios amigos, *véase* auxiliares
ingleses, 143-144, 151, 161
intérpretes, 50-51, 121, 128, 145
iroqueses, 122
Isabel I la Católica, reina de Castilla, 28
Isla Margarita, 81
Islam, 24, 29, 40-41
Italia, 72, 111
itzás, pueblo maya, 65-66, 159

Jamaica, 46
japoneses, 42
Jerez, Francisco de, 89, 93, 109, 144
Jerusalén, 116-117
Jiménez de Quesada, Gonzalo, 13, 16-22, 42-43, 61-62, 70-71, 76, 81, 83, 114, 156, 168
Jones, Grant, 159
Josefa, Flavio, 116
Juana la Loca, 97
judaísmo, judíos, 24, 41

kaqchikel, pueblo, 63, 104, 126-127, 133
k´iche´, pueblo, 63, 104, 127, 133
Kislak, colección, 157
Kulikowski, Michael, 41

La Española, 46-47, 55, 72-73, 150
La Habana, 77
La Palma, 110
lanzas, 86, 148
Las Casas, Bartolomé de, 46-47, 61, 79-81, 98, 149-151, 154-155
Leyenda Negra, 151, 154
leyes, 61, 100, 131, 164
Leyes Nuevas (1542), 61, 150
Libros de Chilam Balam, 131
Lima, 135
literatura,
  características, 19, 23-25, 27, 66, 114-115, 117-118, 148, 155
  cartas, 19, 24, 26-29, 51, 72, 81-82, 88, 90, 105, 107, 126, 160
  cronistas del rey, 28, 93, 110, 158
  indígena, 123-124
  novelas de caballería, 25, 40, 117, 155
  probanza de mérito, 22-23, 26-27, 82, 99, 148
  relaciones, 27
llamas, 36
López de Gómara, Francisco, 29
Louisiana, 77
Lucano, 116
luteranos, 82

Machu Pichu, 60
Magdalena, río, 16-17
Malvinas, guerra, 161
Malinche (doña Marina), 50, 128, 129, 145
Manco Capac, 37, 59-60, 77
Manhattan, 143
mapuches, pueblo, 67-68
«Mar del Sur», *véase* Pacífico, océano
Marina, doña, *véase* Malinche
Marquina, Gaspar de, 24, 89-90, 113
Mártir Rizo, Juan Pablo, 41
maskapaycha, 34
mastines, *véase* perros de guerra
matrimonios, 35, 77, 103-104, 142-144, 159, 165
Mauricio, Miguel, 30
mayas, 38, 87, 93, 101, 107-108, 121, 124, 132, 145, 160
  conquista española, 27, 54, 62-66, 74-75, 100, 102, 105, 127, 131, 134, 159
  pueblos mayas, 63, 65-66, 104, 125-127, 133, 159
Medellín (España), 71
médicos, 91
Melilla, 111
Mendoza, Pedro de, 62, 66, 96
Mérida (Yucatán), 65, 75, 102
Mesoamérica, 27, 32-33, 38, 53-55, 58, 64, 72, 76-77, 85, 104-105, 116, 119, 128-129, 134, 142 162; *véase también* aztecas; mayas; y México
mexica, tribu, 32, 54; *véase también* aztecas
México,
  anterior a la conquista, 17, 32-34, 36, 85
  colonial, 62, 64, 78-79, 82, 85, 99-100, 102-106, 116, 123, 156-157
  conquista española, 10, 19, 27, 30, 37, 48-50, 52, 55, 58-59, 73-76, 88, 92-93, 95, 99, 103, 118, 120-122, 127-130, 132-133, 138, 154, 157-158, 162
México-Estados Unidos, guerra, 161
Michoacán, 103, 138; *véase también* Nueva Galicia

Milicia indiana y Descripción de las Indias (Vargas Machuca), 44, 62, 70, 152
Ming, dinastía china, 111
misioneros, 24, 66-67, 141
mit'a (mita), 36
mixtecas, pueblo, 64, 67, 104
Mixtón, revuelta, 74
Moctezuma, 34, 38, 51-53, 58
mogoles, 111
Montejo, familia, 64, 74-75, 134
Montejo, Francisco de, 54, 64, 71, 74-76, 78, 80, 91, 155
Montejo Pech, Francisco, 102, 166
mopán, pueblo, 66
moros, 29; *véase también* Islam
mosquetes, 87
muisca, pueblo, 17-19, 21, 38, 42-43
mujeres, 92
  conquistadoras, 10, 95-98; *véase también* Erauso, Catalina de; Guevara, Isabel de; Suárez, Inés de
  indígenas, 50, 128, 143-144
musulmanes, *véase* Islam

nahuas, pueblo, 33, 50, 79, 145
  aliados de los españoles, 53, 63, 67, 74, 102-107, 116, 126, 133-134
náhuatl, lengua, 32-33, 79, 102, 128, 136
naufragios, 82, 94, 163
Navarra, 111
negros, *véase* conquistadores negros; y esclavos africanos
Nicaragua, 80, 89, 162
«Noche Triste», 73, 88
notarios, 90
Nueva Crónica y Buen Gobierno (Poma de Ayala), 56
Nueva España, 53-54, 78, 82, 94, 113, 134, 154, 156-157
Nueva Galicia, 74; *véase también* Michoacán
Nueva Granada, 91, 93; *véase también* Colombia
Nuevo México, 67, 136

Oaxaca, 78, 104
obsidiana, armas de, 49, 85-86, 103
oro, 16-17, 40, 42-43, 52, 58-60, 89-90, 119, 164-165
otomanos, 111
ovejas, 89

Pachacuti (Cusi Yupanqui), 34-36
Pacífico, océano, 16, 35, 39, 54-55, 111, 132, 141
Panamá, 55, 73, 91-92
Parry, J. H., 81
Patagonia, 161
Pech, linaje, 102, 131
  Don Francisco de Montejo Pech, 102, 166
pelota, juego de, 130
Pensilvania, 143
Pérez de Quesada, Hernán, 43
perros de guerra, 103, 145
Persia, 111
Perú, 16-17, 55, 62, 78, 80, 89, 95-96, 113, 121-122, 124-125, 134, 159
  conquista española, 24, 56, 59-61, 72-74, 77, 92-93, 109, 114, 118, 120-121, 138
pesca, 39, 46
picas, *véase* lanzas
pinturas, 28-29, 75, 85-86, 156-157
  biombos, 28, 30, 85, 157
  enconchados, 157
  Lienzo de Tlaxcala, 103, 127-129
pipil, pueblo, 104
Pizarro, Francisco, 18-19, 71-72, 80, 93, 121, 166
  conquista del Perú, 55-61, 70, 73-74, 77, 89, 114, 120, 138

Pizarro, Gonzalo, 55, 61, 72-74, 77, 93, 120, 158
Pizarro, Hernando, 55, 72-74, 77-78, 93, 120
Pizarro, Juan, 55, 72-74, 77, 93, 120
plata, 16, 42, 58-60, 62, 89
Plutarco, 116
población, 47, 64, 110, 122, 140; *véase también* repoblación
Poma de Ayala, Felipe Guamán, 56
Ponce de León, Juan, 71
Portugal, portugueses, 40, 42, 45, 92, 99, 111, 143
prisioneros, ejecución ritual, 33, 128
probanza de mérito, 22-23, 26-27, 82, 99, 148
protestantes, 24, 151
Puerto Rico, 46, 99
purépechas, pueblo, 103

Quauhquechollan, 104, 106
quauhquecholtecas, pueblo, 104
quechua, lengua, 35, 55
Querella de los indios en la corte de la muerte (Michael de Carvajal), 80
quiché, pueblo maya, *véase* k´iche´
Qing, dinastía china, 111
quipus, 36-37
Quito, 59-60, 164-165

rehenes, toma de, 35, 58, 96
relaciones, *véase* literatura
religiones indígenas, 33, 46, 130, 164
repoblación, 67, 69, 82, 105, 135
Río de la Plata, 62, 66, 96-97
Rodríguez Freyle, Juan, 93
Roma, 116-117, 124-125
Romero, Diego, 13
Rusia, rusos, 111

sables, *véase* espadas
sacerdotes, 47, 92, 113, 123, 139, 149-151, 154
sacrifícios humanos, 33, 112, 117, 128
safávidas, dinastía, 111
Sagipa, 43
Salamanca, 71, 74
Sánchez de Badajoz, Hernán, 115
Sánchez Gallque, Andrés, 164-165
Santa Fe, 17; *véase también* Bogotá
Santa Marta, 16, 19
Santiago, apóstol, 25, 29, 31, 96-97, 113
Santiago de Atitlán, 125
Santiago de Chile, 96-97
Santiago, Orden de, 77
Santo Domingo, 46
Sapa Inca, 35
Schreffer, Michael, 157
seda, 84, 165
sedentarias, sociedades, 38, 47, 71, 145
Sevilla, 41, 62, 78, 149, 154, 163
sexualidad, 142, 144
Solís y Rivadeneyra, Antonio de, 158-159
Siberia, 111
Sonora, 162
Soria, 89
Soto, Hernando de, 71, 76-77
Suárez, Inés, 95-97

Tabasco, 76
taínos, 46-47, 150
Tamayo de Vargas, Tomás, 28
Tánger, 111
Tawantinsuyu, 35, 58-59; *véase también* incas
Tenochtitlan, 33, 51-53, 73, 88, 116-118, 120, 122-123, 128, 130-131, 133, 138; *véase también* Ciudad de México
Terranova, 39
Texas, 94
Texcoco, ciudad, 104
Texcoco, lago, 33, 52, 130
Textiles, productos, 36

Thai, dinastía, 111
Tierra Santa, 72
tifus, 122
Tihó, *véase* Mérida
Titu Cusi Yupanqui, 59
Tiziano, 152, 156
Tlatelolco, 52, 123; *véase también* Tenochtitlan
colegio de Santa Cruz, 116
Tlaxcala, 33, 102, 104-105, 127
Lienzo de Tlaxcala, 103, 127-129
tlaxcaltecas, pueblo, 33, 50-52, 64, 73, 102-104, 106-108, 127, 137-138
Toledo, 72, 86
Toral, Sebastián, 99-101
totonacas, pueblo, 50
tributos e impuestos, 26, 32, 35, 41-42, 46, 48, 53, 61, 100, 106-107, 128, 130-131, 140, 143
mita, 36
trigo, 99
Trujillo, 72, 78
Tunja, 17

Ursúa y Arizmendi, Martín de, 65, 158-160
Ursúa, Pedro de, 159-160
uzbecos, 111

Valencia, 71
Valdivia, Pedro de, 95
Valiente, Juan, 99
Vargas Machuca, Bernardo de, 44-45, 47, 62, 70, 114, 151-152, 154-156, 158, 166
vascos, 80, 148, 158
Vázquez de Coronado, Francisco, 71
Velázquez, Diego, 48-49, 52
Vélez, 17
Venezuela, 81, 95, 150
vestimenta, 79, 84-85, 89, 103 111, 116, 130; *véase también* armadura; y cascos
Vidas (Plutarco), 116
Vikingos, 39
Vilcabamba, 10, 60, 118, 124
Virgen Maria, 25
apariciones, 51, 113
Virginia, 144
virreyes, 61, 78, 106-107, 125, 156
viruela, 121-122
Vizcaya, 89

Walker, William, 162-163

Xicotencatl, familia, 103
Xicotencatl, Luisa, 104
Xiu, linaje, 131
Xochimilco, 104-105

Yahyar-Cocha, lago, 135
Yucatán, 48, 65, 75-76, 78, 100, 106, 124, 159-160
conquista española, 54, 63-64, 73-74, 76, 91-92, 101, 104, 131-134
Yupanqui, Cusi, *véase* Pachacuti
Yupanui, Titu Cusi, 59

zapotecas, pueblo, 64, 101, 104
zutuhiles, pueblo, 125-127